De Dating Game

Natalie Standiford

de Dating Game

Vertaald door Aleid van Eekelen-Benders

Uitgeverij Van Praag
Amsterdam

© 2007 Uitgeverij Van Praag, Amsterdam
© 2005 Little, Brown and Company, New York
© 2007 Nederlandse vertaling Aleid van Eekelen-Benders /
        RVP Publishers, Amsterdam

Oorspronkelijke titel The Dating Game
Oorspronkelijke uitgave Little, Brown and Company, New York
Ontwerp omslag Alison Impey
Foto's omslag Hannes Hepp/Photonica, Henry Hanna/Iconica, Tony Anderson/Iconica, Emma Innocenti/Photonica, Dimitri Vervits/Photonica, LaCoppola & Meier/Photonica
Zetwerk Bruno Herfst
Druk Wöhrmann, Zutphen

ISBN-10   90 490 6621 6
ISBN-13   978 90 490 6621 5
NUR   284, 285, 302

www.uvp.nl
www.uvp.be

Voor René, Biz, Darcey en Hawes

1 Welke kleur heeft je liefdesaura?

Aan: mad4u

Van: Elke dag je horoscoop

Dit is je horoscoop voor vandaag: Maagd: vandaag begin je aan een project dat je hele leven zal veranderen. Doe je best het niet te verpesten.

Ik hou van Sean Benedetto.

Ik, Madison Markowitz, hou van Sean Benedetto.

Madison Emily Markowitz houdt van Sean [?] Benedetto.

(Zou Sean nog meer voornamen hebben? Moet ik achter zien te komen, anders kan ik geen huwelijksaankondiging opstellen.)

Waarom hou ik van Sean Benedetto? Dit zijn de vijf belangrijkste redenen:

1 Zijn haar is super, vooral zoals het van achteren overeind staat.

2 Die knik in zijn neus is sexy.

3 Hij is elegant maar dan op een ontzettend jongensachtige manier.

4 Zijn stem… daar heb ik geen woorden voor, maar schenk eens honing op een heet zandstrand en ga dan surfen… zoiets.

5 Hij kijkt haast nooit naar me, maar als hij dat wel doet zijn zijn ogen net plasjes chocola en dan wil ik mezelf daarin dippen.

Madisons leraar, Dan Shulman, schraapte zijn keel, en daarom vond ze dat ze maar beter even kon opletten. 'Ik hoop dat iedereen een prettige vakantie heeft gehad,' zei Dan. 'Jullie zitten er vanmiddag allemaal nogal duf bij.'

Vrijdag het vijfde uur, aan het eind van de eerste week na de kerstvakantie. Wie zou er dan niet duf bij zitten? En Interpersoonlijke Menselijke Ontwikkeling mocht dan een lange, stomme naam voor seksuele opvoeding zijn, een shot cafeïne was het niet bepaald.

Opletten, Mads! Anders gaat die grote boze Dan tegen je tekeer!
Dat krabbelde Holly Anderson, een van Mads' twee beste vriendinnen, in Mads' schrift, en ze grijnsde er boosaardig bij.

Holly zat zelf ook niet op te letten; ze was stiekem haar huiswerk
voor Spaans aan het doen. Lina Ozu, Mads' andere beste vriendin,
boog hun kant op en schreef eronder: *Niks hoor! Dan gaat nooit
tekeer.*

'Doen jullie ook mee, meiden?' vroeg Dan.

Mads ging rechtop zitten. Holly, Lina en zij knikten.

'Mooi.'

Uh-oo... Dan was tegen hen tekeergegaan. (Voor hem stond dit
gelijk aan tekeergaan.) Mads keek even naar Lina, die een knal-
rode kop had gekregen. Dit zou ze wel een ramp vinden. Ze was
smoorverliefd op Dan, bijna even erg als Mads op Sean.

Ik zei toch al dat je in de problemen zou komen, schreef Holly.

Mads mepte haar hand weg.

'Jullie zullen nog wel weten dat we dit semester zelfstandige
studieprojecten gaan doen,' zei Dan. 'In deze les hebben we ons
tot nog toe voornamelijk beziggehouden met de eh, bijzondere
relatie tussen een man en een vrouw, of een jongen en een meisje,
of soms twee jongens of twee meisjes...' Hij scheen er niet meer
uit te komen met al die mogelijke combinaties en keek een beetje
gegeneerd, maar hij herstelde zich. 'En nu gaan jullie uitzoeken
hoe die menselijke dynamica in het echte leven werkt.'

Er klonk gejoel in de klas, gevolgd door zenuwachtig gelach. 'Ik
ga Rebecca's menselijke dynamica controleren,' riep Karl Levine.
Rebecca Hulse lachte net zo hard als de rest. Zij scheen zich nooit
ergens iets van aan te trekken.

Voor Mads was Rebecca net zoiets als een muggenbeet op haar
voetzool: irritant maar onmogelijk te negeren. Hoe kon zo iemand
echt bestaan? Ze was slim en dun en rijk en goudglanzend-mooi
en goed in sport en iedereen mocht haar. Rebecca leek bij een

geheim ras van supermeisjes te horen. Mads had echt geen flauw idee waar ze vandaan kwamen, maar o wat zou ze er graag zelf eentje willen zijn.

'Zo bedoel ik het niet,' zei Dan. 'Sociale dynamica bijvoorbeeld is maar één aspect van het menszijn. Weet iemand daar een goed voorbeeld van?'

Niemand gaf een kik.

'Hier hebben we het vóór Kerstmis ook al over gehad,' zei Dan. 'Weten jullie nog? Gedragen mannen en vrouwen zich in sociale situaties gewoonlijk verschillend? Bijvoorbeeld...' Zijn stem ging omhoog, wachtend op een reactie uit de klas. 'Wie?'

Ramona Fernandez stak haar hand op, vol ringen en met lange zwartgelakte nagels. 'In het verkeer. Je zou de verkeersgegevens van mannen en vrouwen kunnen analyseren om te kijken wie er het vaakst een boete voor te hard rijden krijgt.'

'Dank je, Ramona,' zei Dan. 'Dat zou een goed idee voor een project zijn. Een ander voorbeeld zou het gedrag tijdens de middagpauze kunnen zijn. Wat kiezen jongens en meisjes te eten? Waar gaan ze zitten in de kantine?'

Bla-bla, bla-bla-bla.

Mads had nooit gedacht dat een gothic meid als Ramona, die haar haar zwart verfde, haar gezicht spookachtig wit schilderde en nooit iets anders dan dunne Morticia Addams-jurken droeg, het lievelingetje van de leraar zou willen zijn. Zo zie je maar. Ramona was haast net zo gek op Dan als Lina.

Een rebelse goth die het lievelingetje van de leraar wilde zijn, dat was nou typisch iets voor Rosewood. Rosewood, School voor Alternatief Onderwijs aan Begaafden, oftewel RSAOB, was speciaal voor begaafde leerlingen. De onderwijsaanpak was 'experimenteel', wat voorzover Mads kon nagaan inhield dat je veel zelfstandig moest werken en de leraren bij hun voornaam noemde. Je moest toelatingsexamen doen om erop te komen, maar in Carlton Bay,

Californië, waren niet veel kinderen die daarvoor zakten. Carlton Bay was zo'n plaats waar ieder kind een genie is, in de ogen van zijn ouders tenminste. En als je niet briljant geboren was, dan leerde je wel te doen alsof.

'Jullie mogen in een team werken of in je eentje,' zei Dan. 'Ik wil volgende vrijdag een voorstel voor een project zien, en daarna elke week een tussenverslag. Na acht weken maken jullie een eindwerkstuk waarin je de resultaten van je onderzoek beschrijft. Dat betekent dat het werkstuk vlak voor de voorjaarsvakantie af moet zijn. Begrepen?'

Mads knikte naar Lina en Holly. Het sprak vanzelf dat zij een team vormden. De vraag was alleen: wat voor project moesten ze doen?

We bedenken vanavond bij mij wel iets, schreef Holly in de kantlijn van Mads' schrift.

Goed idee, schreef Mads eronder. Vrijdagavond bij Holly thuis. Het begon traditie te worden. Maar alleen omdat ze geen van drieën ooit iets beters te doen hadden.

'Waar zijn Curt en Jen vanavond?' vroeg Mads aan Holly. 'Etentje?'

De drie meisjes installeerden zich voor het vuur in de mooie woonkamer bij Holly thuis, die groot maar gezellig was, zoiets als een chalet in een dure wintersportplaats. Ze aten pizza en dronken een fles rode wijn die Holly bij haar ouders uit de kelder had gepikt. Niet dat de Andersons zich daar druk om maakten. Zij vonden dat tieners toestemming moesten krijgen om thuis, met mate, te drinken, net als in Europa. Dat was precies wat Mads zo fijn vond aan de Andersons: ze waren heel anders dan haar eigen ouders, die de ene keer al te beschermend en de andere keer veel te toegeeflijk waren, afhankelijk van de nieuwste opvoedkundige trend.

'Curt is de stad uit en Jen is naar de opera,' zei Holly. 'En Piper heeft met een paar studievriendinnen afgesproken in de stad. We hebben zeker tot een of twee uur vannacht het rijk alleen.' Piper, Holly's oudere zusje en eerstejaarsstudente op Stanford, was nog thuis voor de kerstvakantie.

Mads had Lina en Holly anderhalf jaar geleden leren kennen, toen ze aan hun eerste jaar op RSAOB begonnen. Lina en Holly waren al vanaf het begin van de basisschool vriendinnen, maar Mads kwam van een andere school. Ze zag ertegenop op RSAOB te beginnen, omdat haar beste vriendin van de middenschool ergens anders heen ging. Toen Mads Holly en Lina samen zag, voelde ze iets, een soort liefde op het eerste gezicht. Ze liep op hen af – verlegen was ze niet – en zei: 'Er ontbreekt iets aan jullie. Wat jullie nodig hebben is een derde wiel aan de wagen.' Ze begonnen te lachen en dat was dat. Vriendinnen.

'Wíj zouden ook uit moeten zijn,' klaagde Mads. 'Toch niet te geloven dat we alwééér niks te doen hebben op vrijdagavond. Waarom geeft er niet iemand een feestje?'

'Dat gebeurt vast wel,' zei Lina. 'Alleen zijn wij niet uitgenodigd.' Lina's lange haar glansde in de gloed van het vuur. Ze was slank, van gemiddelde lengte en half-Japans, met een lief ovaal gezichtje. In het begin vond Mads haar koel en gereserveerd lijken, maar het duurde niet lang of ze leerde de echte Lina kennen, een intelligent meisje dat haar uiterste best deed om haar hartstochten onder controle te houden. Mads was ook emotioneel, maar het kwam nooit in haar op te proberen zich te beheersen.

'Waarom zijn wij dan niet uitgenodigd? Dat is goed balen.' Mads nam een slokje wijn en kreeg meteen vuurrode wangen. Dat effect had wijn nu eenmaal op haar, begon ze door te krijgen. Mads en Lina waren allebei vijftien, maar Mads zag er jonger uit; ze was klein en leuk om te zien, met mooi zwart haar tot op haar schouders, een wipneus vol sproeten en kleine slaperig-blauwe ogen.

'Trouwens, we moeten bedenken wat voor project we voor IMO gaan doen,' zei Holly. Ze stookte het vuur op. Dat soort praktische dingen, daar was ze goed in: vuurtjes stoken, koken, zinnige adviezen geven. Daar zag ze niet naar uit, met haar lange, golvende blonde haar en rondingen als de haarspeldbochten in de Pacific Coast Highway. Zo plat als Mads was, zulke grote borsten had zij. Mads noemde haar soms 'de Boezembabe' om haar te pesten.

'Als we onze ouders eens interviewden?' stelde Lina voor. 'Dan kunnen we vergelijken hoe zij vroeger met elkaar uitgingen met hoe dat nu gaat.'

'Daar kun je mijn moeder beter niet over aan de praat krijgen, neem dat maar van mij aan,' zei Mads. 'Dan doet ze zo klef en dan praat ze over mijn vader alsof hij een seksgod is of zo. En daar wil ik liever niet aan denken.'

'Bedenk jij dan eens iets, Mads.'

Mads knabbelde aan een stuk pizzarand. 'Ik weet niet, we zouden een kunstproject kunnen maken van tampons of zo.'

'Getsie,' zei Lina.

Mads dronk haar glas leeg. 'Ik krijg het warm van die wijn. Maar ik vind hem wel lekker.' Ze zwaaide met haar glas in Holly's richting. 'Gooi er nog eens wat in, Boezembabe.'

Holly vulde alle drie hun glazen bij. 'Kom op, jongens, nadenken!'

Drie minuten bleef het stil. Mads pijnigde haar hersens af om iets goeds te verzinnen.

'En?' vroeg ze aan de anderen. Die schudden hun hoofd.

'Misschien doen we te hard ons best,' zei Mads. 'Mijn moeder zegt altijd: "De waarheid verschijnt zodra je ophoudt ernaar te zoeken," of zoiets.' Ze wist dat ze het niet helemaal goed had. 'Of misschien: "Wanneer je ophoudt naar antwoorden te zoeken, vindt het antwoord jou."'

'Wat is jouw moeder toch een wazig figuur,' zei Holly. 'Denk je dat er zomaar een idee uit de lucht komt vallen?'

'Dat gebeurt wel eens,' zei Lina.

'Oké, dan moet het antwoord ons maar vinden,' zei Holly. 'Maar dan liefst wel vóór komende vrijdag. Ik ga mijn e-mail checken.'

Mads en Lina gingen met haar mee naar haar kamer. Holly checkte haar e-mail: alleen maar spam. Ze wilde net uitloggen toen Mads zei: 'Even onze horoscoop kijken. Op Girlworld hebben ze goeie.'

Ze waren alle drie geabonneerd op een website die 'Elke dag je horoscoop' heette en iedere dag een e-mail met je persoonlijke horoscoop stuurde, maar een second opinion kon nooit kwaad.

Holly opende de website van Girlworld, maar voor ze op 'Horoscopen' kon klikken werd Mads blik getrokken door een kleurige pop-up.

Nieuwe quiz! Welke kleur heeft je liefdesaura?

'Zullen we die quiz eens doen?' zei ze. 'Ik zou niet weten wat voor kleur mijn liefdesaura heeft.'

'Wanneer houden ze eens op met nieuwe aura's verzinnen?' zei Holly. 'Je hebt je liefdesaura, je vriendschapsaura, je shoppingaura, je huiswerkaura, je schoenenaura...'

'Laten we die quiz nou maar doen,' zei Lina. Holly klikte en daar kwam de eerste vraag al.

Welke kleur heeft je liefdesaura?

1 **Een fijne zoen is voor jou:**
   A   een kusje op je wang
   B   mond op mond, maar wel stijf dicht
   C   mond op mond met een beetje tong
   D   lekker nat met een hoop tongen

'Klik D maar aan,' zei Mads.

'Jakkie,' zei Holly. 'Ik heb de pest aan supernatte zoenen.'

'Daar hou jij toch ook niet van, Mads?' zei Lina.

'Weet ik,' zei Mads. 'Maar wat gebeurt er als je de goorste

antwoorden kiest? Wat voor kleur is het liefdesaura van iemand die van supernatte zoenen houdt? Dat moet ik weten.' Ze was een tikje aangeschoten van de wijn, en daardoor leek dat plotseling een belangrijke kwestie.

Holly klikte D aan. 'Oké,' zei ze. 'Een experiment. Wat voor kleur is het goorste liefdesaura?'

2 Jouw opvatting van een hot date is:
    A   met je ouders uit eten
    B   een eindje wandelen en onderweg ergens koffie drinken
    C   een film met een makkelijk te volgen plot zodat er volop gezoend kan worden
    D   een kamer nemen in een motel

'Weer D,' vond Mads. 'Ik snap al hoe het werkt.' Ze had in haar leven al de nodige tijdschriftquizzen gedaan. 'Het meest sexy antwoord staat steeds bij D.'

'Je zegt het maar.' Holly klikte D aan.

'Kunnen we die quiz later nog eens doen en dan onze echte antwoorden kiezen?' vroeg Lina.

'Wat zou jouw echte antwoord dan zijn?' vroeg Holly.

Lina las de mogelijkheden bij vraag twee nog eens door. 'Nou, die zijn geen van alle wat ik een hot date zou vinden,' zei ze. 'Ik zou uit eten willen gaan. Of misschien naar een góéde film, niet naar een slechte.'

'Volgende vraag,' zei Mads.

3 Als je contact zoekt doe je dat het liefst met:
    A   heb ik wat van je aan?
    B   hallo. Hoe heet je?
    C   wat ben jij een schatje. Heb je al plannen voor de rest van je leven?
    D   kop dicht en zoenen

'Zie je nou wel, dat zou ik allemaal nooit tegen een jongen zeggen,' zei Mads. 'Dus we kunnen voor de gein net zo goed weer D kiezen.'

4 Je zit met een jongen te eten en hij morst ketchup op zijn shirt. Jij:
    A   zegt niets
    B   veegt het af met je servet
    C   likt het af
    D   zegt tegen hem dat er ketchup op zijn shirt zit en rukt het meteen van zijn lijf

'Wat een onzin,' zei Holly terwijl ze op D klikte.

5 Je dumpt een jongen als hij:
    A   geen alsjeblieft en dankjewel zegt
    B   te veel vloekt
    C   puisten op zijn achterste heeft
    D   niet 'alles' wil doen

'Krijgen jongens puisten op hun kont?' vroeg Mads. 'En wat bedoelen ze met "alles"?'

'Dat weet je best, Mads,' zei Holly. 'Alleen weet je niet dat je het weet.'

Ze maakten de quiz af door alle vragen met D te beantwoorden.

'Nu nog even een screennaam invullen en insturen om antwoord te krijgen,' zei Mads. Ze nam het van Holly over aan het toetsenbord. Onder 'naam' tikte ze als geintje 'Boezembabe Holly'.

'Hu hu hu.' Holly liet haar sarcastische spastische lachje horen.

Mads klikte op 'versturen' en ze wachtten enkele seconden tot hun antwoorden verwerkt waren.

Je score:
Als je vooral A hebt gekozen, is je seksuele aura **wit**. Geef het maar toe: je bent preuts. Ik zou het klooster maar in gaan!

Als je vooral B hebt gekozen, is je aura **geel**. Je bent voorzichtig, misschien zelfs te voorzichtig. Hoog tijd om eens wat risico te nemen.

Als je vooral C hebt gekozen, is je aura **blauw**. Je bent sensueel en sexy maar slaat niet te ver door… meestal. Wees voorzichtig.

Als je vooral D hebt gekozen, is je aura **rood**. Wat ben jij een slet! Misschien kun je beter wat kalmer aan doen. Maar ach, misschien past het gewoon bij je.

Boezembabe Holly: **Je hebt uitsluitend D gekozen**.
Je aura = rood. Rood = slet.

'Zo tevreden, Mads?' vroeg Holly.

'Ja,' antwoordde Mads. 'Nu weet ik dat het goorste liefdesaura rood is en dat wij allemaal sletten zijn.'

'Jij misschien!' Lina mepte naar haar met een kussen.

Mads zag onder aan de quiz een icoontje staan: mail dit aan een vriendin. 'Zullen we hem aan iemand doorsturen,' zei ze. Ze dacht aan Rebecca Hulse. Zou zij dit grappig vinden? Dan zouden ze er maandag op school samen om kunnen lachen. Dan kon Mads haar misschien wat beter leren kennen, en kreeg ze weer meer kans om achter de geheimen van de supermeisjes te komen.

'Doet Rebecca graag quizzen?' vroeg ze aan Lina. Van hen drieën kende Lina Rebecca het best. Ze zaten samen op hockey.

'Kan best, ja,' zei Lina.

'Dan sturen we hem aan haar,' zei Mads.

'Waarom?' vroeg Holly.

'Voor de lol,' zei Mads. Ze stuurde de quiz door, met hun rare antwoorden en 'Boezembabe Holly' en alles erbij.

Lina keek op de klok. 'Het is al bijna middernacht. Moesten we vanavond niet iets van huiswerk doen?'

'Ons IMO-project,' zei Holly. 'Zijn er al ideeën uit de lucht komen vallen?'

'Nee,' zei Lina.

'Dat kan wel een paar dagen duren,' zei Mads.

'Ik hou wel in de gaten of ik soms vliegende schotels zie,' zei Holly.

Maar toen het antwoord kwam, kwam het niet uit de lucht vallen. Het kwam uit cyberspace, waar alles kon gebeuren – en ook gebeurde.

2 Daar komt de Boezembabe

Aan: hollygolitely

Van: Elke dag je horoscoop

Dit is je horoscoop voor vandaag: Steenbok: Ik zou vandaag maar niet uit bed komen. Echt waar. Dat meen ik 100% serieus.

'Hoi, Holly,' zei Keith Carter toen Holly die maandagochtend op school kwam en naar haar kluisje liep. 'O nee, Boe…'

'Hou je kop!' Derek Scotto gaf Keith met zijn elleboog een harde por in zijn ribben. Ze lagen allebei in een deuk.

O jee, Holly voelde meteen nattigheid. Er dreigde narigheid. Het gonsde door de hele school, kwaadaardige roddelmoleculen, en iedereen die ze inademde, werd erdoor besmet. Het was haar al vaker overkomen dat ze het mikpunt van grappen was, het onderwerp van gefluister, het slachtoffer van valse glimlachjes. Maar waarom nu? Wat zeiden ze nu weer? En waar kwam het vandaan?

Oké, rustig blijven. Niet overreageren. Tenslotte waren Keith en Derek idioten, dat wist iedereen.

'Hé, Holly, er zit ketchup op mijn shirt.' Een mager joch dat nauwelijks tot haar middel kwam, keek haar verlekkerd aan en wapperde met zijn tong. Zijn vrienden kwamen om hem heen staan en jutten hem op. 'Zin om een nummertje te maken?'

Oké, dus ze was niet aan het overreageren. Stomme negendeklasser. Ze wist niet eens hoe hij heette. Maar hij wist wel wie zij was. Geweldig.

Ze bleef staan en keek op het joch neer. 'Sorry, ik versta je niet. Ik heb mijn woordenboek Engels-Sukkeltaal niet bij me.'

'Ha ha, sukkeltaal.' Onder hoongelach van zijn vrienden droop de jongen af. Daar was ze voorlopig vanaf.

Zo erg als nu was het niet meer geweest sinds de achtste klas, toen een jongen *Ik heb Holly gevoeld* op de wc-muur had geschreven. Een andere jongen had eronder gezet: *Ik ook. Holly heeft supertieten.* Voor ze het in de gaten had noemde iedereen haar achter haar rug maar niet al te stiekem 'Holly Supertiet'. Daar kwam pas een eind aan toen Kayla Ashton de meisjes-wc uit kwam met haar rok in haar string. Godzijdank. Toen was iedereen Holly Supertiet vergeten en hadden ze het over Kayla Bilspleet.

Holly's lichaam had zich sneller ontwikkeld dan dat van alle andere meisjes uit haar klas. Aan het eind van de vijfde was ze nog een klein meisje en helemaal plat, maar die zomer was ze uit al haar kleren gegroeid en tegen de tijd dat ze weer naar school moest had ze borsten als een Barbiepop. Iedereen schrok ervan, en zijzelf het meest. Maar dat was al vijf jaar geleden en ze was nu wel aan haar lichaam gewend. Waarom hadden die anderen er dan zo lang voor nodig?

Ze kwam langs een groepje meisjes, onder wie Rebecca Hulse, die tegen de muur leunde. Haar scherpe knieën en ellebogen staken als stekels alle kanten op. Ze stonden te fluisteren en te giechelen. Toen Holly dichterbij kwam stopten ze, maar ze ving nog net het laatste gesis op.

'Heb je die antwoorden van haar gelezen? Oh, my God. Volgens haar score is ze een grote slet!'

Dus dat was het. Die liefdesauraquiz. En dat stomme geintje van Mads om er 'Boezembabe Holly' onder te zetten. Holly nam zich in stilte voor om zich nooit meer te wagen aan ETB – E-mailen Tijdens Bezopenheid. En Mads zou nog wat te horen krijgen.

'Hoi, Holly.' Rebecca's lippen weken uit elkaar, zodat haar witte tanden zichtbaar werden. Holly nam aan dat het een glimlach moest voorstellen. Ze kon altijd prima met Rebecca opschieten, al ging ze niet zo relaxed met haar om als Lina scheen te doen. Maar nu vertrouwde ze het niet.

'Ik zei net tegen iedereen dat die quiz die je me stuurde alleen maar een grapje was,' zei Rebecca. 'Er waren er die echt dachten dat je het serieus meende! Dat hou je toch niet voor mogelijk?'

Holly's hersenen probeerden ontspanningssignalen naar haar gezichtsspieren te sturen, maar haar gezichtsspieren wilden niet meewerken.

'Het was een vergissing,' legde Holly uit. 'Mads en Lina en ik waren een beetje aangeschoten en we waren zomaar wat aan het dollen...'

'Ik wist het wel,' zei Rebecca iets te vrolijk. 'Dat probeer ik de anderen ook al de hele tijd duidelijk te maken!'

'Maar wat zo vreemd is, hoe komt het dat iedereen het weet?' vroeg Holly. 'We hebben het alleen aan jou gestuurd, Rebecca, en niet aan de hele school.'

'Weet ik,' zei Rebecca. 'Maar het was zo grappig dat ik het wel aan Autumn door moest sturen. En ik kon toch niet weten dat zij het in haar blog zou plakken?'

Haar blog! 'Nuclear Autumn'. De hele school las Autumn Nelsons blog. Die was een onuitputtelijke bron van geroddel, gekat en theatrale uitbarstingen. Hoe kon ze hier ooit uit komen? Zou ze Kayla kunnen betalen om weer in haar ondergoed rond te paraderen?

'Het spijt me ontzettend, Holly,' zei Rebecca. 'Het was echt niet mijn bedoeling dat het zo zou gaan, dat zweer ik je!'

'Dat is grappig,' zei Holly. 'Want ik dacht dat jij je meelopers compleet onder controle had.'

Rebecca's vriendinnen keken ontzet, maar Rebecca zelf gaf geen krimp. 'Kom nou, Holly, Autumn is mijn vriendin, maar ik bepaal niet wat ze doet.'

Dat wist Holly nog zo net niet. Toen ze verder liep begon het gefluister weer. Het was moeilijk om hoogte te krijgen van Rebecca. Probeerde ze expres Holly in haar hemd te zetten? Dekte ze Autumn of was het alleen maar gemeenheid? Holly wist dat het er niet toe deed. Zulke dingen gingen een eigen leven leiden.

Op haar kluisje zat een briefje geplakt.

Lieve Boezembabe,

Als Nick Henin je kan krijgen, waarom ik dan niet? Ik was eerder aan de beurt. Knuffeltjes van Bastiano.

Holly trok een gezicht. Bastiano, oftewel Sebastiano Altman-Peck, had het kluisje naast het hare en vond het leuk om haar te plagen.

Ze keek nog eens naar het briefje. Nick Henin? Waar sloeg dat nou weer op? Ze wist wie dat was – dat wisten alle meisjes, zo'n schatje was het – maar ze had nog nooit een woord met hem gewisseld. Hij kon ontzettend goed voetballen en had iedereen versteld doen staan toen hij in de tiende klas uit de ploeg stapte omdat hij zich 'kapot verveelde'.

Holly frommelde het briefje net in elkaar toen de schrijver ervan, Sebastiano, opdook en zijn kluisje openklapte.

Ze gooide hem het propje in zijn gezicht. 'Wat ben je toch geestig, Bastiano.'

'Weet ik. Maar vertel nou eens: hoe heb je het voor elkaar gekregen?'

'Wat?'

'Nick Henin in te pikken. Doe maar niet zo onschuldig, Anderson. Iedereen heeft het erover.'

'Wat?' Holly hapte naar adem. 'Wáár hebben ze het over? Afgezien van die Boezembabe-onzin, bedoel ik.'

'Over jou en Nick. Goeie vondst trouwens. Die bijnaam, bedoel ik. Echt klasse.'

Holly kneep haar ogen dicht. 'Dat was Mads' idee. We waren gewoon wat aan het dollen. Het was nooit de bedoeling dat de hele school het zou lezen. En ik heb het helemaal niet over Nick gehad. Wat zeggen ze eigenlijk?'

'Ik las op "Nuclear Autumn" dat Nick en jij het in de kerstvakantie met elkaar aangelegd hadden. En zo te horen kon hij geen genoeg krijgen van jouw hete lijf, Boezembabe.'

'Noem me niet steeds zo,' snauwde Holly. Haar hoofd tolde. Wat moest ze doen? Nick was een geweldige vangst, het was bepaald geen schande om met hem uit te zijn geweest. Het zou zelfs wel eens positief kunnen zijn. Een soort statussymbool. Ze wist het niet zeker. Maar misschien kon ze beter haar mond houden tot ze er helemaal uit was. En trouwens, niemand zou haar geloven als ze het ontkende.

'Van wie komt dat?'

Sebastiano haalde zijn schouders op. 'Anoniem bericht. Wie weet waar die dingen vandaan komen? Hoezo? Is het niet waar?'

Holly probeerde haar misselijkheid te verbergen achter een mysterieuze halve glimlach. Ze hoopte tenminste dat die er mysterieus uitzag. 'Wat zegt Nick?'

Sebastiano stopte twee stukjes kauwgom in zijn mond. 'Dat vraag ik hem wel zodra ik hem zie. Nicky en ik zijn zó met elkaar.' Hij draaide twee vingers om elkaar en hield ze voor haar omhoog. Toen smeet hij zijn kluisje dicht.

Met zijn schriften tegen zijn heup verdween hij, maar halverwege de gang keek hij om en riep: 'Tot kijk, Boezemvriendinnetje.'

Holly beukte met haar voorhoofd tegen het dunne metaal van haar kluisdeurtje, en nog eens, en nog eens. Werden haar klasgenoten niet verondersteld te volwassen te zijn voor zulk gedoe, zulke flauwe bijnamen, zulke belachelijke geruchten? Niet dus.

'Hou op, Holly!' riep Mads van het andere eind van de gang. 'Straks bezorg je jezelf nog een hersenbeschadiging!' Lina en zij kwamen naar Holly toe rennen.

'Gaat het?' vroeg Lina. 'Dat headbangen is nergens voor nodig. Dit gaat heus wel voorbij.'

'Jullie hebben de geruchten zeker wel gehoord,' zei Holly. 'Waarom moest je die stomme quiz ook naar Rebecca sturen, Mads?'

'Het spijt me!' riep Mads. 'Ik kon toch niet weten dat ze hem aan iedereen door zou sturen. Heeft iemand iets gezegd?'

'Nee, hoor,' snauwde Holly. 'Alle jongens op school denken alleen maar dat ik een slet ben.'

'Mads kan er eigenlijk niks aan doen, Holly,' zei Lina. 'Autumn is degene die de quiz op haar blog heeft gezet.'

'Je was er zelf bij, Holly. Jij moest er ook om lachen,' zei Mads. Haar ogen waren vochtig, en Holly wilde dat ze niet zo tegen haar was uitgevallen. Het was moeilijk om kwaad op Mads te blijven. En ze had nog gelijk ook.

'Het geeft niet, Mads,' zei ze. 'Ik moet er nog steeds om lachen. Ik wou alleen dat al die anderen wat normaler deden.'

'Weet je wat jij nodig hebt?' vroeg Lina. 'Een lekkere grote beker warme chocomel. Of anders koffie. Zullen we vanmiddag naar Vineland gaan?'

'Klinkt goed,' zei Holly. 'Jammer dat ik eerst nog een hele schooldag moet zien door te komen.'

'Misschien heeft Nick dat anonieme bericht er zelf wel op gezet,' zei Madison. Ze blies in haar koffie en nam een slok.

Holly, Lina en Madison hadden in Vineland een mooi tafeltje bij het raam te pakken gekregen. Het café zat in een houten huisje aan Rutgers Street en keek uit over de vallei. Carlton Bay was een mooie plaats die in het westen aan een kleine baai grensde, met een jachthaven, aparte winkeltjes en visrestaurants. Verder van de kust ging de plaats over in kilometers groen met hier en daar huizen, tot je in een weelderig groene vallei kwam. De meisjes staarden uit het raam zonder veel van het landschap te zien. Ze hadden wel wat anders aan hun hoofd.

'Weet je wat ik vandaag heb gehoord?' vroeg Mads. 'Ik was te laat voor gym en toen waren er twee elfdeklassers in de kleedruimte. Ze hadden het over een meisje dat Krysta heet en met twee jongens ging die vrienden waren.'

'Tegelijkertijd?' vroeg Lina.

'Nee. Eerst ging ze met de ene, en toen ze het hadden uitgemaakt ging ze met zijn beste vriend. Ze zei dat ze allebei op precies dezelfde manier zoenden, alsof ze het van dezelfde persoon hadden geleerd.'

'Jech,' zei Lina. 'Wat geschift.'

'En toen hadden Jen en haar vriendin het erover dat jongens er in hun blootje zo raar uitzien,' zei Mads. 'Met van die bobbels overal. Maar zeg nou zelf, hoeveel blote jongens hebben jullie al gezien? Zoals zij het erover hadden klonk het of er blote jongens langs de deuren gaan om snoep te verkopen.'

'Dat is alleen maar gepraat,' zei Holly. 'Ze doen allemaal of ze weten waar ze het over hebben, maar dat is helemaal niet zo.'

'Het klinkt anders alsof ze heel goed weten waar ze het over hebben,' zei Mads. 'Ik zou zulke dingen niet kunnen verzinnen.'

'Wisten ze dat jij er was?' vroeg Lina.

'Eerst niet,' zei Mads. 'Maar toen hoorden ze me en hielden ze op met praten. En toen ze me zagen vroegen ze waar we die liefdesquiz vandaan hadden, omdat ze hem ook wilden doen. Ik keek ervan op dat ze wisten wie ik was.'

'Bij mij hebben ook een heleboel mensen naar die quiz geïnformeerd,' zei Lina. 'Dat wil zeggen, als ze niet aan het roddelen waren over...'

'Maak die zin maar niet af,' zei Holly. 'Ik wed dat ik vandaag wel honderd keer "de Boezembabe" ben genoemd.'

Wat ervoor zorgde dat Mads zich voor de honderdste keer schuldig voelde. 'Ik vind het zo rottig, die toestand met Rebecca,' zei ze.

Toen ze opkeken, zagen ze Rebecca Hulse in hun richting komen. Holly zette zich schrap voor een nieuwe portie nep-lievigheid.

'Daar heb je d'r,' fluisterde Mads.

Rebecca streek een lange lok blond haar over haar schouder en leunde met haar handen op hun tafel. De knoopjes van haar witte blouse zaten net ver genoeg open om een glimp van de hardroze kanten beha eronder te laten zien. Mads nam zich stilletjes voor zo snel mogelijk een blouse en een hardroze kanten beha te kopen.

'Ik hoop dat je je er niks van aantrekt,' zei Rebecca. 'Het spijt me ontzettend. Dat wou ik nog een keer zeggen. Het spijt me ontzettend zoals het gegaan is. Het was echt niet mijn bedoeling dat die quiz zo verspreid werd, dat zweer ik je.'

Ze keek even veelzeggend naar Autumn, die met de rug naar hen toe bij de haard zat.

'Het stelt niks voor, hoor, Rebecca,' zei Holly. 'Nu heb ik tenminste weer eens kunnen oefenen met anderen op hun nummer zetten. Ik begon aardig roestig te worden.'

'Zolang je mij er maar niet op aankijkt,' zei Rebecca.

'Nee, hoor,' zei Holly. Alleen mag ik je gewoon niet zo, voegde ze er in zichzelf aan toe.

'Gelukkig,' zei Rebecca. 'Want ik mag jou heel graag, jullie alle drie, en ik zou niet willen dat we om de een of andere reden geen vriendinnen konden zijn.' Ze wilde al weglopen, maar zei toen: 'Goed van je, trouwens, om Nick Henin in te pikken. Oké, tot kijk.'

Ze keken haar na toen ze wegliep en bij Autumn ging zitten. Mads probeerde het label op haar jeans te lezen.

'Oké, Lina,' zei Holly. 'Jij zit bij Rebecca in het team. Jij kent haar het best. Meent ze het of meent ze het niet?'

Lina kende een kant van Rebecca die de andere meisjes nooit zagen. Ze waren allebei goede hockeyspelers, en op het veld werkten ze goed samen. Rebecca kon gemeen zijn, maar zo kende Lina haar niet. 'Ik denk dat ze het meent,' zei ze. 'Waarom zou ze jou pijn willen doen?'

Mads tuurde naar Rebecca en Autumn, die aan de andere kant van de ruimte dicht bij elkaar zaten. Ze kon eigenlijk niet zeggen dat ze Rebecca aardig vond. Ze benijdde haar. 'Hmm, volgens mij meent ze er niks van. Zal ik eens wat zeggen? Ik wed dat ze jaloers is! Ze geilt zelf op Nick! Dat moet het zijn.'

'Dat slaat nergens op,' zei Lina. 'Dat gerucht dook pas op nadat Autumn de quiz op haar blog had gezet.'

'O ja. Da's waar ook.' Mads zweeg even, opende haar mond, sloot hem, opende hem opnieuw en sloot hem weer.

'Wou je iets kwijt, Mads?' vroeg Holly.

'Wanneer ben jij met Nick Henin naar bed geweest?' vroeg Mads. 'En waarom heb je ons daar niks van verteld?'

'Ik ben niet...' begon Holly.

'Op Ingrids kerstfeestje zeker, hè?' zei Lina. 'Toen was je bijna een uur verdwenen.'

'Ja,' zei Mads. 'Ik heb me altijd al afgevraagd waar je die avond gebleven was, en dat heb je eigenlijk nooit verteld. Maar je was zeker met Nick bezig?'

O ja, Ingrids kerstfeestje. Dat herinnerde Holly zich maar al te goed. Het punt was, ze kon zich niet herinneren dat Nick er ook was. En ze had niet doorgehad dat ze zo lang weg was gebleven. Ze had alleen maar in de badkamer van Ingrids moeder een artikel over Gwyneth Paltrow in *Vanity Fair* zitten lezen.

'Niet te geloven, zo cool als jij bent,' zei Mads. 'Je doet het met een schatje van een elfdeklasser als Nick en dat vertel je niet eens?'

'Nee, kijk, het zit zo...'

'Moet je Rebecca en Autumn zien,' onderbrak Mads. 'Zie je hoe ze zitten te smoezen. Ze kunnen het niet uitstaan!'

'Mag ik alsjeblieft mijn zin afmaken? Ik ben niet met Nick Henin naar bed geweest,' zei Holly.

'Niet?' Mads kon het niet meer volgen. Hoe konden zoveel geruchten ernaast zitten? 'Dus je hebt alleen maar wat met hem gezoend?'

'Ik heb zelfs nauwelijks met hem gepraat,' zei Holly. 'We hebben nooit gezoend. Niks. Noppes. Nada. Zero.'

'Kom nou.' Mads kon het nog steeds niet geloven. Als het om de waarheid ging, had zij meestal het liefst de spannendste versie, en dat was dit niet.

'Maar waarom zegt iedereen dan van wel?' vroeg Lina.

'God mag het weten,' zei Holly. 'Om de een of andere reden verzinnen ze graag verhalen over mij.'

'Volgens mij moet je dat maar als compliment opvatten,' zei Lina. 'Het is een soort talent.'

'Doe ik ook,' zei Holly. 'Wat moet ik anders?' Ze begon ongeduldig te worden. Al dat gepraat zat haar meer dwars dan ze wilde laten merken. 'Kunnen we het nu over iets anders hebben? Zijn er vanochtend nog fantastische ideeën uit de lucht komen vallen en tussen jullie cornflakes geland?'

Het werd stil om het tafeltje. Na een paar minuten begon Mads hardop te denken. Soms kwam ze daardoor in de problemen, maar andere keren was het de enige manier om een probleem op te lossen, had ze gemerkt.

'Stel dat Nick met dat gerucht over jou is begonnen,' zei ze. 'Waarom zou hij dat doen? Omdat jongens aan niks anders kunnen denken dan aan seks! Daar kunnen ze niks aan doen. Of ze willen of niet, er borrelt sekspraat uit ze.'

'Echt waar?' vroeg Lina.

'Hoe verklaar je het anders?' zei Mads. 'Ze zeggen zoveel stomme dingen die nergens op slaan. Terwijl meisjes aardig en kalm en rationeel zijn.'

'Dat is zo,' zei Holly. 'Maar wat wil je daar nou mee zeggen?'

'Iedereen weet dat jongens meer met seks bezig zijn dan meisjes,' zei Mads. 'En dat gaan we met ons IMO-project bewijzen. We beginnen onze eigen blog, net als Autumn, speciaal voor dit project. We doen een enquête onder de leerlingen. We vragen naar van alles en nog wat, hoeveel ervaring ze hebben, wat ze graag doen als ze met iemand uit zijn, alles wat we willen weten. En die informatie gebruiken we om te bewijzen dat jongens meer aan seks denken dan meisjes.'

'We kunnen er een soort quiz van maken,' zei Lina. 'Net als die quiz over je liefdesaura die we hebben gedaan, maar dan beter.'

'Maar wat wordt het onderwerp van die quiz dan?' vroeg Holly.

'Ben jij bezeten van seks?' stelde Mads voor.

'En dan?' vroeg Holly. 'Dan antwoorden ze gewoon ja of nee? Dat is niet echt een project.'

'We kunnen het uitbreiden,' zei Mads. 'Er een soort datingsite van maken. Dan krijgen we vast massa's reacties, en die zijn dan ook eerlijker.'

'Maar dan verwacht iedereen van ons dat wij een date voor hen vinden,' zei Lina.

'Doen we ook!' zei Mads. 'Leuk toch! En we kunnen de leukste jongens voor onszelf bewaren.'

'Je bent een doortrapt genie, Mads,' zei Holly. 'We analyseren de quizantwoorden en bewijzen onze stelling. En dan schrijven we het allemaal in zogenaamd wetenschappelijke taal op om Dan te laten denken dat het een wereldschokkende ontdekking is.'

'Misschien doen we wel écht een ontdekking,' zei Lina. 'Misschien komen we wel echt iets te weten over de mensen met wie we op school zitten.'

'Ja hoor,' zei Holly. 'En misschien wint "Nuclear Autumn" de Nobelprijs voor Literatuur.'

Maar stilletjes hoopte Holly dat Lina gelijk had. Wat dachten anderen nou echt? Zodra zij de puberteit had bereikt – en het bijpassende lichaam had gekregen – was iedereen anders tegen haar gaan doen. Hoe kwam dat? Wisten ze iets wat zij niet wist? Was ze door de manier waarop ze eruitzag echt anders dan de rest?

Holly was sceptisch. Maar als dit project al die vragen kon beantwoorden, zou het echt een geschenk uit de hemel zijn.

3 Een hoofd vol seks

Aan: linaonme
Van: Elke dag je horoscoop

Dit is je horoscoop voor vandaag: Kreeft: Niet meer piekeren, Kreeft! Nee, je hebt geen raar gevormd hoofd, je hebt geen gigantische voeten en je tanden zijn wit genoeg. Ja, er mankeert best wat aan je. Maar dat niet.

Vak: *Interpersoonlijke Menselijke Ontwikkeling*
Leraar: *Dan Shulman*
Datum: *vrijdag 21 januari*

Voorstel voor de Dating Game: *opvattingen over seks onder RSAOB-leerlingen in Carlton Bay, Californië'*
door Holly Anderson, Madison Markowitz en Lina Ozu

Een hoofd vol seks: *wie zijn het meest met seks bezig, jongens of meisjes?*

Onze hypothese: *jongens denken meer aan seks dan meisjes. Om dat te bewijzen willen we een speciale weblog opzetten die beperkt toegankelijk is – alleen voor RSAOB-leerlingen – met een vragenlijst die 'de Dating Game' heet. Leerlingen beantwoorden vragen over hun seksuele opvattingen en ervaringen. Om deelname te stimuleren richten we de website in als datingservice en helpen we mensen ook echt aan een date. We hopen dat die dates nog meer gegevens ople-veren ter ondersteuning van onze hypothese.*

Na acht weken analyseren we de gegevens en trekken we onze conclusies. Zijn jongens grotere seksmaniakken dan meisjes? Die

*vraag wordt in ons eindwerkstuk beantwoord, waarmee de discussie
voor eens en altijd is afgerond.*

P.S. O, Dan, wat ben je toch een aanbiddelijke hunk, ik wil jouw baby's!

'Mads!' klaagde Lina toen ze de laatste regel las van het voorstel dat Mads had uitgetypt. 'Haal dat weg.'

'Ik dacht al dat je dat niet zou durven, daarom heb ik ook nog een versie zonder P.S. geprint.' Ze gaf Lina een gekuiste kopie. 'Lafaard.'

'Dankjewel.' Dan hield die ochtend spreekuur om met de leerlingen hun project te bespreken, en Lina had aangeboden het voorstel aan hem te presenteren.

Dan had geen eigen spreekkamer, zodat hij de redactiekamer van de *Vuurvlieg* moest gebruiken. De *Vuurvlieg*, een maandelijks verschijnend schoolblad met gedichten en tekeningen, was een van de twee literaire tijdschriften op Rosewood. Het andere was het *Rosewood Journaal*, dat vooral verhalen, essays en foto's bevatte. Lina hield van schrijven, vooral gedichten, en ze dacht er wel eens over bij een van de literaire tijdschriften te gaan. Dan was docent-adviseur voor de *Vuurvlieg*, en Ramona Fernandez was hoofdredacteur. Lina wist dat dat geen toeval was.

Nu zat ze tegenover Dan aan het bureau terwijl hij hun voorstel las. Ze wiebelde zenuwachtig met haar rechtervoet. Ze was nog nooit alleen met hem in één ruimte geweest, met de deur dicht en alles.

Dan was pas een paar jaar afgestudeerd; eigenlijk was hij niet zoveel ouder dan zij, dacht ze. Hij was klein en fijngebouwd, wat ze aantrekkelijk vond, en had kort bruin haar en ronde blauwe ogen. Hij droeg altijd ouderwetse pakken met smalle revers, en dunne stropdassen. Mads beweerde dat hij leek op Linus uit *Peanuts* in een opa-pak, maar Lina hield wel van zijn stijl, en ze was niet de enige.

Onlangs had Ramona het gigantische zilveren kruis dat ze gewoonlijk droeg, vervangen door een dunne rode das. Over superslijmerij gesproken. Dat moest een symbool van haar liefde voor Dan voorstellen of zoiets. Ramona's vriendinnen gingen het ook doen, maar Lina vermoedde dat die alleen maar Ramona nadeden. Het begon een soort sekte te worden. De Dan Shulman-sekte.

'Het is wel ambitieus, Lina,' zei Dan. 'Ik ben benieuwd of het jullie zal lukken jullie hypothese te bewijzen.'

Ze spande zich in om een vlot antwoord te bedenken. Waarom had ze daar gisteravond niet vast over nagedacht?

'Hé, over jongens tegen meisjes gesproken, wil je een mop horen?' vroeg Dan. 'Het is echt een ontzettend flauwe.'

'Ja hoor. Ik ben gek op flauwe moppen.'

'Goed. Er komt een buitenaards wezen een winkel in en zegt: "Ik kom van Mars en ik wil een stel hersenen kopen om te onderzoeken." De winkelier laat hem er drie zien. "Dit zijn apenhersenen," zegt hij. "Die kosten twintig dollar." Hij houdt het tweede stel hersenen omhoog en zegt: "Deze zijn van een vrouw, honderd dollar." Dan houdt hij het derde stel hersenen omhoog en zegt: "En deze zijn van een man, vijfhonderd dollar."

"Vijfhonderd dollar! Waarom zijn die zo duur?" vraagt het buitenaardse wezen.

"Tja," zegt de winkelier, "ze zijn nauwelijks gebruikt!"'

Lina lachte. 'Dat is een goeie,' zei ze. Hij was niet echt geestig, maar dat maakte Dan alleen maar schattiger.

'Ik vond dat ik me wel een neerbuigend mopje over mijn eigen geslacht kon permitteren,' zei Dan.

Lina wilde dat ze daar de hele dag met hem kon blijven zitten kletsen, alsof ze goeie vrienden waren.

'Goed, Lina. Begin maar, zet jullie vragenlijst maar op het net, en dan zien we wel wat er gebeurt! Veel succes!'

Hij keek haar glimlachend aan terwijl ze nog even verstijfd op haar stoel bleef zitten. Ze wist dat dit het moment was waarop ze weg moest, maar het duurde even voordat haar lichaam dat ook doorkreeg.

'Ik zie je wel weer in de klas,' voegde Dan eraan toe.

Eindelijk waren haar benen zo ver dat ze zich strekten en haar gewicht droegen. 'Ja. Bedankt, Dan.'

Holly en Mads zaten in de bibliotheek op haar te wachten.

'Hij vindt het goed,' vertelde Lina. 'We mogen beginnen.'

'Geweldig!' zei Holly. 'Ik zet de vragenlijst er meteen op.'

Ze waren die week al een paar middagen bezig geweest hun vragen te perfectioneren. Holly maakte een account aan op een weblogsite en startte een blog met de naam 'De Dating Game'. Ze koos een gebruikersnaam, 'hollinmad', en een wachtwoord dat ze alle drie konden gebruiken als ze inlogden.

Holly scande de quiz in hun blog. Er verscheen een prompt:

Kies een beveiligingsniveau:

1 Alleen gebruiker

2 Alleen vrienden

3 Voor iedereen toegankelijk

'Kies maar "Alleen vrienden",' zei Lina. 'Dan hebben alleen mensen die wij als vrienden noteren toegang tot de site.'

'Om hackers weg te houden,' zei Holly. 'En kinderen van andere scholen.'

'En ouders,' voegde Mads eraan toe.

'Bij alles wat we in de blog zetten moeten we een beveiligings-niveau aangeven,' zei Holly. "Zo kunnen we zelf uitmaken welke informatie we voor onszelf houden en welke de rest ook mag lezen.'

Ze plakten de mailadressen van alle leerlingen op hun school erin en zetten die onder 'vrienden'. Om in te loggen moesten ze hun school-mailadres gebruiken.

'Dan kunnen alleen RSAOB-leerlingen de quiz lezen en de vragen beantwoorden,' zei Lina.

'Maar wij zijn de enigen die hun antwoorden kunnen lezen,' zei Holly. 'Behalve als we ze openbaar willen maken. Dan hoeven we alleen maar de beveiliging aan te passen.'

'Kijk, dat vind ik leuk,' zei Mads. 'Dat stukje waar staat dat we 816 vrienden hebben.'

Lina ging aan het toetsenbord zitten om een aankondiging op de website van de school te zetten.

Doe mee aan de Dating Game!

Wil je een leuke jongen of een leuk meisje ontmoeten? Wil je een grappige quiz doen? Wil je ons met ons IMO-project helpen? Simpel! Log in op de Dating Game Weblog en vul onze vragenlijst in! Om in te loggen moet je je RSAOB-mailadres gebruiken. Vul je naam of je gebruikersnaam in of blijf anoniem. Dat mag je zelf weten. Wij helpen jou de liefde te vinden waarnaar je op zoek bent. En ook al ben je niet in een date geïnteresseerd, vul de vragenlijst dan toch maar in. Het is voor een goed doel: ons aan een tien voor IMO helpen! (Speciaal voor elfde- en twaalfdeklassers: kom op, jullie hebben ook ooit in de tiende gezeten. Jullie hebben ook IMO gehad. Heb medelijden en help ons! Speciaal voor tiendeklassers: we zitten allemaal in hetzelfde schuitje! Speciaal voor negendeklassers: volgend jaar moeten jullie dit doen!)

Holly Anderson, Madison Markowitz en Lina Ozu

'Nu hoeven we alleen nog maar op de resultaten te wachten,' zei Holly. 'Dit is best spannend!'

'Ik kan haast niet wachten om te zien wat ze zeggen!' zei Mads.

'Niet vergeten iedereen er vandaag aan te herinneren,' zei Lina. 'Het moet goed bekend worden.'

'Precies.'

Rosewood, School voor Alternatief Onderwijs aan Begaafden
(RSAOB)
Carlton Bay, Californië

Vragenlijst de Dating Game
Jongens versus meisjes: Wie is het meest met seks bezig?

Beantwoord alsjeblieft alle vragen hieronder zo volledig mogelijk.
Als beloning voor het beantwoorden van onze vragen regelen wij
een date voor je met iemand die de vragenlijst ook heeft ingevuld.
We vergelijken jouw antwoorden met die van anderen tot we de
persoon vinden die heeft wat jij zoekt, die zoekt wat jij hebt, of die
het meest met je gemeen heeft. Vink het vakje onderaan aan als
je van onze datingservice gebruik wilt maken.

Deel 1: Vertel ons wie je bent
Gebruikersnaam:
Geslacht:
Leeftijd:
Klas:
Ben je nog maagd?
Heb je wel eens iemand van het andere geslacht gezoend?
Ben je wel eens verdergegaan dan zoenen? Hoe vaak?
Heb je het wel eens met iemand gedaan? Hoe vaak?
Met hoeveel verschillende personen ben je naar bed geweest?
Beschrijf je opwindendste ervaring:
Beschrijf je gênantste ervaring:
Beschrijf je griezeligste ervaring:

Deel 2: De enquête
**Wie zijn naar jouw mening het meest met seks bezig:
jongens of meisjes?**

☐ Jongens
☐ Meisjes
　Waarom?

Deel 3: De Inktvlektest

Kijk naar dit plaatje. Wat denk je dat het voorstelt? Zeg het eerste wat in je opkomt en vul dat in de ruimte hieronder in.

Deel 4: Date of geen date?

Wil je dat we je antwoorden gebruiken om een date met iemand voor je te regelen? Vink dan het vakje aan.

☐ Ja

(Wanneer we iemand vinden die goed bij je lijkt te passen, sturen we je een mailtje zodat je zelf contact met die persoon kunt opnemen.)

Aan welke eisen moet jouw date voldoen?

☐ Knap
☐ Intelligent
☐ Gevoel voor humor
☐ Goedhartig
☐ Rijk
☐ Sportief
☐ Eerlijk
☐ Muzikaal
☐ Overige:

Afknappers? (Vink aub alles aan wat van toepassing is.)

☐ Slechte huid
☐ Vleeseter
☐ Vegetariër
☐ Tatoeages
☐ Piercings

- ☐ Bontliefhebber
- ☐ Overgewicht
- ☐ Ondergewicht
- ☐ Boulimie
- ☐ Drugs
- ☐ Alcohol
- ☐ Roken
- ☐ Overige:

Bedankt voor je hulp. Kom nog eens terug op deze site voor updates en resultaten.

'Stel je eens voor,' zei Mads. 'Als Sean dit invult kan ik een date voor mezelf met hem regelen!'

Lina wilde dat zij het ook zo gemakkelijk had. Ze kon Dan wel vragen de lijst voor de grap ook in te vullen, maar ze wist dat dat haar niet verder zou helpen. Maar ze zou hem nog wel bereiken... op een andere manier.

4 Op de stippellijn

Aan: mad4u
Van: Elke dag je horoscoop

Dit is je horoscoop voor vandaag: Maagd: Je doet enkele schokkende ontdekkingen over je medemensen. Probeer er niet te erg door van slag te raken.

Zodra Mads die middag thuiskwam uit school, keek ze op de website. Al dertig leerlingen hadden de vragenlijst ingevuld! Ze kon het haast niet geloven. Vlug typte ze het wachtwoord in en begon te lezen. Binnen een paar minuten zaten Holly en Lina op MSN.

linaonme: geloven jullie dit? kijk eens bij carumba.
mad4u: wauw. hij zegt dat hij in de achtste zijn maagdelijkheid is kwijtgeraakt!
hollygolitely: juicy7 zegt dat zij en haar vriend het op de worstelmat in de gymzaal hebben gedaan.
mad4u: hebben jullie dat wel eens gedaan? seks gehad op school, bedoel ik.
linaonme: nee!
mad4u: holly?
hollygolitely: zeg, ik ben de boezembabe! is mijn reputatie nou al verbleekt?

Mads kon niet ophouden met vragenlijsten lezen. Ze vergat haar huiswerk, vergat naar *The O.C.* te kijken, zelfs nadat haar jongere zusje Audrey haar eraan had herinnerd. Om middernacht poetste ze haar tanden en ging in bed naar het plafond liggen turen. Ze kon niet slapen. Ze kon die beelden van al die kinderen die met al die seks bezig waren niet uit haar hoofd krijgen. De stemmen van de meisjes die ze in de kleedkamer had horen praten echoden door haar hoofd. Hoeveel jongens hadden zij al naakt gezien? Hoe konden ze daar zo luchtig over doen?

En wat had zij intussen gedaan? Een paar jongens gezoend. Zich door Toby Buckholtz laten betasten tijdens het zomerkamp. Per ongeluk haar oudere broer, Adam, een keer onder de douche zien staan. En dat was het wel zo'n beetje. Ze was vijftien jaar en nog steeds maagd. Vast de laatste maagd op heel Rosewood! Of een van de laatste. Het was net of er een lampje ging branden in haar hoofd. Waarom had ze dat niet eerder in de gaten gekregen? Hoe had ze zich zo door iedereen kunnen laten passeren?

En denk eens aan Lina en Holly. Lina was afgelopen herfst een maand of twee met Dmitri Leshko gegaan. Mads wist dat ze iets hadden gedaan samen, maar ze wist niet precies wat. Lina kon over dat soort dingen best verlegen zijn. En Holly was sinds afgelopen zomer geen maagd meer, door die jongen in Idaho, Andy. Het klonk zo mooi: zomerliefde aan een meer, zwemmen, zeilen, samen aan een ijsje likken, zoenen bij zonsondergang, er samen tussenuit knijpen naar het bos, dicht tegen elkaar aan bij een kampvuur…

Waarom had zij nog nooit zoiets meegemaakt? Voor Mads was de afgelopen zomer niet wat je noemt een seksfestijn geweest. Het grootste deel van de tijd had ze in het zwembad doorgebracht en in haar degelijke Speedo-badpak de halve achterwaartse salto met een draai van de duikplank geoefend. Zelfs de elfjarige Audrey had afgelopen zomer een bikini aan gehad, maar Mads niet, o nee. Die zou ze tijdens het duiken kunnen verliezen. Het stemmetje in haar hoofd dat die gedachten uitsprak, dreef tegelijkertijd de spot met haar. Zelfs haar eigen hersenen lachten haar uit.
Mankeerde er iets aan haar?

Ja. Er mankeerde iets aan haar. Maar dat gaf niet, daar zou ze wel iets aan doen. Alles moest anders worden. En gauw ook.

Haar hele leven al was Mads klein en lief. Iedereen behandelde haar als een klein meisje. Maar nu was ze vijftien, en de mensen zagen haar nog steeds als een kind. Voor Holly was dat anders, en voor Lina ook. Zij waren geen kinderen, zij waren tieners. Vooral Holly. Die zag er geraffineerd uit, en de mensen geloofden ook dat ze dat was. Waarom kreeg Mads dat niet voor elkaar?

Mads was bang om achter te blijven. Oké, het was tijd om volwassen te worden. Ze ging iedereen inhalen, wat ze er ook voor moest doen.

Ik ga ervaring opdoen, nam ze zich plechtig voor. En ze wist precies met wie ze die wilde opdoen. Een nieuw beeld schoot door haar hoofd. Sean. Hij schudde zijn haar in het zonlicht en glimlachte zijn stralende glimlach naar haar. Wauw...

Ze pakte haar telefoon en belde Holly's mobieltje.

'Hallo?' Holly klonk schor van de slaap.

'Met mij, Mads. Raad eens? Ik ga van mijn maagdelijkheid af komen!'

'Fijn voor je, Mads. God, ik moet die ringtone voortaan 's nachts eens uitzetten.'

'En weet je met wie ik dat ga doen?' vroeg Mads. 'Sean Benedetto.'

'Goed plan,' zei Holly. 'Een jongen kiezen die onbereikbaar is. De beste manier om je maagdelijkheid kwijt te raken, kan niet missen.'

'Wat? Denk je dat ik hem niet kan krijgen?'

'Eh, ik zei niet dat...'

'Dat zei je wel. Je zei dat hij onbereikbaar was. Nou, als dat zo is, hoe komt het dan dat hij sinds het begin van dit schooljaar al met zes meisjes is gegaan? Nou? Zes! Waarom zou ik er daar niet een van kunnen zijn? Vroeg of laat moet ik toch aan de beurt komen.'

'Nou, veel succes dan. Nu moet ik weer gaan slapen.'

Holly was een vroeg-naar-bed-type, en Mads, een avondmens, had geen medelijden met haar.

'Laten we morgen iets doen,' zei ze. 'Ik wil mijn complete en totale macht over Sean Benedetto plannen.'

Maar Holly had al opgehangen.

Holly werd om acht uur wakker zoals gewoonlijk was ze de eerste. Ze liep in haar pyjama naar beneden en schonk een kop koffie in. Lang leve het automatische koffiezetapparaat. Toen ging ze terug naar haar kamer, stopte de oordopjes van haar iPod in haar oren en zette de computer aan. Hoe stond het met de Dating Game? Sinds de vorige dag waren er tien nieuwe vragenlijsten ingezonden. Ze werkte ze door. Ze had afgesproken naar Mads' huis te gaan, maar ze wist dat Mads nog in geen uren uit bed zou komen.

'Screennaam: topgun... Leeftijd: 16. Klas: 11. Het wel eens gedaan... Hoe vaak? Meer dan 100 keer. Met hoeveel verschillende personen ben je naar bed geweest? 37 geloof ik.'

Eh, ja hoor, zal wel. Echt geloofwaardig. Volgende.

Ze begon aan de antwoorden van een meisje. 'Beschrijf je griezeligste ervaring: Mijn griezeligste ervaring was toen mijn vriend en ik lekker bezig waren en het condoom scheurde. Twee weken later werd ik eindelijk ongesteld, maar die hele twee weken heb ik elke dag een zwangerschapstest gedaan, ook al was het daar te vroeg voor.'

Wauw, dacht Holly, ze is pas veertien. Dat is echt griezelig. Ze had geen idee dat iemand bij haar op school al zoiets had meegemaakt.

Ze las een paar vragenlijsten door die eerlijk leken: jongens en meisjes die toegaven dat ze nog maagd waren, die niet veel meer hadden gedaan dan zoenen, of zelfs dat niet. Dat bood enig tegenwicht voor de meer gewaagde, maar ze moest bekennen dat ze minder leuk waren om te lezen.

'Beschrijf je spannendste ervaring: Ik gaf een keer een feestje maar om de een of andere reden kwam er niet een van mijn vrienden opdagen. De enigen die wel kwamen, waren alle echt leuke meisjes van school. We waren bij het zwembad bij ons in de tuin aan het feesten en algauw trokken de meisjes hun kleren uit en sprongen in het water...'

Daarna werd het alleen maar erger. Holly controleerde de leeftijd in de vragenlijst. Dertien? Geloof je het zelf? Leuk geprobeerd, Hotpants.

Wat was er aan de hand? Had iedereen op haar school echt zoveel seks als hij zei? Holly wist dat dat niet zo was, wat Mads ook mocht denken. Maar waarom overdreven ze erover, in een anonieme enquête?

Stel dat ik die vragen moest beantwoorden, vroeg Holly zich af. Wat zou ik dan zeggen?

De waarheid, dacht ze. Waarom niet? Zo erg was die niet.

Jongens hadden haar altijd leuk gevonden, zelfs op de kleuterschool al. Maar ondanks alle geruchten was ze maar met één jongen naar bed geweest, Andy Rufford. Vorige zomer in Idaho.

Ze was die zomer met haar moeder en haar neven en nichtjes naar een meer in Idaho geweest, waar hun familie een huis had. Andy kwam uit Seattle. Eerst had ze hem niet veel aandacht geschonken. Hij was bevriend met haar neven en nichtjes, en ze waren allemaal samen opgetrokken. Soms was hij grappig, zoals die keer dat hij lijm op het fluitje van de strandwacht had gedaan. Dat was wel geestig.

Maar na een paar weken begon haar op te vallen dat hij leuk was. Echt leuk. En hij moest haar ook hebben opgemerkt, want toen het augustus werd, begon de spanning tussen hen op te lopen. In plaats van op de anderen te wachten knepen ze er 's avonds tussenuit om met zijn tweeën te gaan zwemmen. Voor Holly het in de gaten had, waren ze een stel.

Ze gingen in hun blootje zwemmen. Ze waren voortdurend aan het vrijen, en gingen daarbij steeds verder. Op een avond, een week of wat voor het eind van de zomer, haalde Andy een condoom tevoorschijn. Hij zei niets, liet hem alleen maar met een vraagteken in zijn ogen aan haar zien. Haar hart bonsde in haar keel. Het was zover. Was ze eraan toe? Dat wist ze niet, maar ze besloot het erop te wagen.

Ze klungelden nogal en het deed pijn. Ze had het gevoel dat het voor hem ook de eerste keer was, want hij leek niet goed te weten wat hij deed. Ze was zo zenuwachtig dat ze zich er maar weinig van herinnerde, maar toen het voorbij was begon ze te lachen, en Andy lachte mee. Net of ze vriendjes waren die een spelletje deden. Dat maakte het minder eng.

Toen ze later die avond alleen in bed lag, dacht ze: ik ben geen maagd meer. Hoorde ze zich nu anders te voelen? Haar hart ging tekeer en haar gezicht was warm. Maar dat was het wel zo'n beetje. Ze wist niet meer wat ze verwacht had te zullen voelen, maar ze had wel gedacht dat het veel ingrijpender zou zijn.

Ze deden het nog een paar keer. Het deed niet veel pijn meer, en na afloop lag Holly niet meer wakker om haar hartslag te tellen. Maar er was ook niks heel geweldigs aan. Misschien kwam het doordat ze niet smoorverliefd op Andy was. Ze mocht hem gewoon erg graag. Of misschien hadden ze meer oefening nodig om er goed in te worden.

Toen de zomer voorbij was, kon ze niet wachten tot ze thuis was en het aan Mads en Lina kon vertellen. Maar toen ze het probeerde uit te leggen, werd ze plotseling verlegen. Ze wilden alles tot in de kleinste details weten, maar ze was bang dat ze het niet zouden begrijpen. Het leek wel of ze haar verhaal door een waas van romantiek hoorden. Vooral Mads. Voor haar was het zo'n klassiek verhaal over een zomerliefde, en het feit dat Holly's eerste keer onhandig, onprettig en niet bijzonder romantisch was drong helemaal niet tot haar door.

Holly las verder in de vragenlijsten, antwoorden die varieerden van realistisch tot goor. Er moest toch iemand zijn met wie je uit zou willen. Ze probeerde tussen de regels te lezen. Zou een jongen met de naam 'sexgod' iets voor Lina of Mads zijn? Kon 'zarg' die leuke knul van biologie zijn?

Toen kwam ze bij 'paco'. Onder 'Wat voor iemand zoek je?' schreef paco: 'Madison Markowitz, en niemand anders.'

Wauw! Wie was die vent? Dit moest Mads zien. Het liep al tegen twaalven. Mads zou nu wel op zijn. Holly kon niet wachten haar paco's vragenlijst te laten zien.

'Goeiemorgen, liefje.' Holly's moeder, Eugenia, zat in zijden pyjama en ochtendjas aan de keukentafel koffie te drinken, terwijl Barbara, het dienstmeisje, de wijnglazen van de vorige avond wegruimde. Eugenia was een fijngebouwde vrouw met donker haar en een rasperige rokersstem, ook al rookte ze al vijf jaar niet meer. 'Zin om vanmiddag met je zusje en mij naar Petaluma te gaan? Een vriendin van Piper heeft daar een kunsttentoonstelling. Of zoiets. Het kan ook een performance zijn. Nou ja, iets dergelijks.'

'Nee, dank je. Geen tijd.' Holly viste haar autosleutels uit haar tas. 'Ik ga naar Mads.'

'Rij voorzichtig,' zei haar moeder. 'Je bent nog maar een beginnende automobilist, kindje.'

Holly was op 5 januari zestien geworden en had meteen haar rijbewijs gehaald. Van haar ouders had ze een nieuwe gele VW Kever voor haar verjaardag gekregen. Ze was gek op die auto, maar ze dacht wel eens dat Mads en Lina er nog gekker op waren. Lina was pas op 21 juli jarig en Mads nog later, 27 augustus. Mads had Holly autohandschoenen voor haar verjaardag gegeven, en een kaart met de route van Holly's huis naar dat van haar, ook al kon Holly die dromen. Een paar maanden lang zou Holly hun vaste chauffeur zijn. Dat vond ze niet erg, ze vond het nu al heerlijk om auto te rijden. En het was stukken beter dan van haar ouders of van Piper afhankelijk zijn voor vervoer, of, nog erger, van Mads oudere broer Adam, die negentien was en er trouwens meestal niet was omdat hij ergens anders studeerde. Die moest wel de voorzichtigste autorijdende tiener op aarde zijn. Bij hem vergeleken was Holly's oma een snelheidsmaniak.

Holly sloeg af en reed de kronkelende, stijgende weg op waaraan Mads woonde. Als ze het huis van de familie Markowitz zag werd ze altijd meteen vrolijk. Het was in de jaren zeventig gebouwd en leek net een gigantisch boomhuis. Alle kamers leken uit diverse niveaus te bestaan, zodat je moeilijk kon zien hoeveel verdiepingen er waren. Mads' moeder, M.C., kort voor Mary Claire, zwaaide naar Holly vanuit de biologische moestuin. Ze zat op haar knieën in de aarde te wroeten, in spijkerbroek en flanellen blouse, met een rood brilletje op en haar blonde kroeshaar in een rode bandana. Ze leek net een blonde Lucille Ball, bij wie elk moment weer iets grandioos verkeerd kon gaan.

Mads' ouders waren warmer dan die van Holly, en niet zo gedistingeerd. In Mads' ogen waren ze pijnlijk on-cool. Haar vader, Russell, was een vriendelijke jurist, snel in verlegenheid gebracht en zo zachtmoedig dat zijn kinderen hem voor de grap 'de duistere opperheer' noemden. M.C. had hem leren kennen toen ze de boerderij van haar bekrompen ouders in Minnesota was ontvlucht om in Californië aan de universiteit te gaan studeren. Ze veranderde vaak van beroep. Ze was yogadocent geweest, astrologisch voedingsdeskundige en eigenaar van een feministische boekhandel. Nu werkte ze als dierenpsychiater, gespecialiseerd in probleemhonden. Haar praktijk liep als een trein; Carlton Bay was echt een plaats voor huisdierpsychiatrie.

Holly liep de steile, zigzaggende stenen treden naar de voordeur op. Mads elfjarige zusje Audrey deed open. In haar T-shirt, dat haar middenrif bloot liet, en haar lage roze joggingbroek, en met haar rossig blonde haar in een hoge staart opzij leek ze precies een Bratz Doll. Holly snapte niet hoe twee van die praktische mensen als Russell en M.C. zo'n materialistische, super-trendgevoelige dochter konden hebben.

'Mad Mads is in haar kamer,' verkondigde Audrey. Zo noemde ze haar zusje graag.

Toen Holly Mads' kamer in kwam wachtte haar een beeld dat ze zelden zag: Mads met haar bril op. Meestal had ze lenzen in. Ze zat, nog in haar pyjama, aan haar computer vragenlijsten te lezen.

'Ik ben de grootste loser van de hele school!' jammerde ze. 'Heb je die dingen gelezen? Iedereen heeft zoveel ervaring! Zelfs negendeklassers. Waarom heb ik dat allemaal niet meegemaakt?'

Holly trok een stoel bij en ging naast haar zitten. 'Denk je dan dat ze allemaal de waarheid vertellen? Denk je echt dat drie jongens bij ons op school met centerfolds uit de *Playboy* uit zijn geweest?'

'Dat is eigenlijk wel een beetje vergezocht, ja,' zei Mads. 'Maar waarom zouden ze liegen? Het is anoniem. Al kan ik bij sommigen aan de hand van hun antwoorden wel uitpuzzelen wie het zijn, geloof ik.'

'Misschien is dat de reden,' zei Holly. 'Komt Lina ook?'

'Sylvia is met haar de stad in om te winkelen en te lunchen,' zei Mads. Sylvia was Lina's moeder. Ze was arts – allergoloog – heel modieus, elegant en een beetje kil. Lina voelde zich door haar geïntimideerd en had een betere band met haar vader, Kenneth, een lange, knappe bankier.

'Ze zal wel weer met een of ander chic tasje thuiskomen en dat in haar klerenkast dumpen,' zei Holly. Lina kreeg altijd designkleding van haar moeder, die graag wilde dat ze er mooi bij liep.

'Komt wel goed uit dat ze er niet is,' zei Mads. 'Dit is de ideale gelegenheid om een jongen voor haar te zoeken. We moeten zorgen dat ze eens aan iemand anders dan Dan gaat denken. Het gaat steeds meer op *Romeo en Julia* lijken als je haar hoort. En die gaan aan het eind allebei dood, hoor.'

'Dit zal heus niet dodelijk zijn, maar ik snap wat je bedoelt,' zei Holly. 'Het slaat echt nergens op. Het lijkt haast wel of hij haar gehersenspoeld heeft. Alleen is Dan veel te braaf om zoiets te doen.'

Holly keek de vragenlijsten door en stopte bij iemand uit de elfde met de naam 'hot-t'. 'Wat denk je van deze jongen voor Lina?' vroeg ze.

Mads las zijn antwoorden. 'Hij klinkt in elk geval niet walgelijk. Maar kijk deze eens.' Ze liet Holly een formulier van een andere elfdeklasser zien, 'spits'.

Spits was geïnteresseerd in 'voetbal, voetbal en voetbal'. 'Spits' zou wel op zijn plaats in het veld slaan.

'Volgens mij weet ik wie dat is,' zei Holly. 'Jake Soros!'

'Serieus? Ja, dat zou best kunnen.'

Jake Soros, uit de elfde, aanvoerder en ster van het voetbal-team. Voetbal was zijn lust en zijn leven. Het drong opeens tot Holly door dat ze al heel lang verliefd op hem was.

'Die wil ik zelf hebben,' zei ze.

Mads grinnikte. 'Mij best. Jij neemt spits en we sturen hot-t op Lina af. Nou maar duimen dat ze hem leuk vindt.'

'Nu nog iemand voor jou vinden,' zei Holly. 'Moet je dit zien, Mads.' Ze reikte om Mads heen en haalde paco's formulier op het scherm. 'Hier krijg je vast een hartverzakking van.' Paco's vragen-lijst verscheen op het scherm. 'Hij is helemaal kapot van je.'

Mads las paco's antwoorden zorgvuldig door. 'Wie denk je dat het is?' vroeg ze.

'Geen idee,' antwoordde Holly.

'Nou, één ding staat vast,' zei Mads. 'Sean is het niet. Sean zit in de twaalfde, en paco zegt dat hij in de elfde klas zit.'

'Nou en? Voel je je nu al te goed om met elfdeklassers te gaan?'

'Dat is het niet,' zei Mads. 'Maar ik wil gewoon Sean. Denk je dat hij de lijst ook heeft ingevuld?'

Holly haalde haar schouders op. 'Hoe moeten we dat nou weten?'

'Ik bedenk wel wat,' zei Mads. 'Als zijn lijst ertussen zit, vind ik hem.'

'Maar paco dan?' vroeg Holly. 'Die is verliefd op je!'

'Dat moet een geintje zijn. Zou ik het niet weten als er iemand verliefd op me was?'

'Misschien is hij verlegen.'

'Laat maar. Hé, wacht eens even. Is "Sean" niet dezelfde naam als "John", maar dan in het Iers? Hier heb ik iemand uit de twaalfde, gebruikersnaam "john", die zegt dat hij op Ashton Kutcher lijkt, maar dan blond! Sean heeft wel wat van Ashton Kutcher met blond haar!'

Sean leek niet erg op Ashton Kutcher, maar Holly moest toegeven dat niemand op school meer op hem leek dan Sean.

'Kijk, hij zegt dat hij wil dat we een date voor hem zoeken,' zei Mads. 'Ik meld me als vrijwilliger. We koppelen hem aan mij!'

'En als het Sean nou niet is?' vroeg Holly.

'Het móét hem zijn! Ik stuur hem meteen een mailtje.'

Aan: john
Van: Mad4u
Re: Dating Game

John, je vroeg ons iemand voor je te vinden, en dat is gelukt!
Je date is een tiendeklasser, 15 jaar. Noem maar een tijd en plaats
als je haar wilt ontmoeten, dan regelen wij het verder.

Gefeliciteerd!

Vijf minuten later kwam er antwoord.

Aan: mad4u

Van: john

Re: wauw

Regel het maar. Bijvoorbeeld Vineland, woensdag na school. Oké?

Oké. Ze treft je daar. Hoe herkent ze je?

Zeg maar dat ze die Ashton Kutcher-dubbelganger moet hebben.

'Dat ging makkelijk,' zei Holly. 'Te makkelijk.'

   'Doe toch niet zo cynisch,' zei Mads. 'Was dat niet een van de redenen om met de blog te starten? Om het daten makkelijker te maken? En het werkt, zie je wel?' Ze bewaarde de mail in een aparte map 'Sean'. 'Nu zijn we allemaal onder de pannen. Het datingfeest kan beginnen!'

5 Dood aan de Normalen

Aan: linaonme
Van: Elke dag je horoscoop

Dit is je horoscoop voor vandaag: Kreeft: Pak je laserpistool! Buiten-aardse wezens kunnen elk moment op jouw planeet landen en je vertrouwde leventje vernietigen. Dit is geen grap.

Lina,

De hypothese en het plan voor jullie project zien er uitstekend uit. Zet 'm op, meid! Wel goed opletten dat jullie de statistische gegevens goed bijhouden. Ik vond het leuk dat je mij ook uitnodigde aan het onderzoek deel te nemen, maar omdat ik niet tot de leerlingen behoor ben ik bang dat mijn antwoor-den de uitkomst zouden vertroebelen en tot een vertekend beeld zouden leiden. Ik verheug me erop jullie eerste tussenverslag te zien!

Dan :-)

Lina drukte haar vinger even op de smiley die hij erbij had gete-kend. Zette hij die er bij iedereen bij? Of alleen bij mensen met een goed plan? Of alleen bij haar? Hij zou het wel bij iedereen met een goed plan doen. Hij had de papieren in zijn bakje voor uitgaande post gelegd zodat iedereen het zijne kon ophalen, dus iedereen kon zijn commentaar lezen. Daarom zou hij er wel niets persoon-lijks bij zetten. Toch wilde ze wel graag denken dat er ergens in zijn opmerkingen een geheime boodschap voor haar verstopt zat. 'Zet 'm op, meid'? Kon dat iets betekenen? Tenslotte werkten ze met zijn drieën aan het project, en niet zij in haar eentje.

Ze vouwde het papier dubbel en stopte het in haar tas. Ze was van plan het in haar schatkistje te bewaren, bij haar vaders schoolring, een valentijnskaart van een jongen op wie ze in de eerste klas een oogje had gehad, haar hockeymedaille voor 'De Beste Dribbel' en nog meer exotische souvenirs.

Hockey en Dan hielden in Lina's hoofd op een vreemde manier verband met elkaar. Ze was gek op hockey, genoot ervan zoals de houten stick trilde in haar hand als ze de bal precies goed raakte. Ze herinnerde zich een wedstrijd aan het eind van het vorige seizoen tegen de school die Rosewoods grote concurrent was, Draper. Het was een mooie dag en de kleine tribunes zaten eindelijk eens een keer vol, wat niet vaak voorkwam bij een wedstrijd op dat niveau. Haar vader had beloofd eerder van zijn werk te komen om erbij te kunnen zijn, en ze merkte dat ze steeds naar de tribunes keek om te zien of hij er al was. Hij had dat hele seizoen nog geen kans gehad haar te zien spelen, maar hij was haar grootste fan. Af en toe hees hij zich zelfs in zijn keeperuitrusting van toen hij nog lacrosse speelde en keepte dan thuis in de tuin voor haar.

Op driekwart van de wedstrijd kreeg ze Dan in het oog, die met losgetrokken das, zijn handen in zijn zakken en een donkere zonnebril op bij de zijlijn rondhing en de wedstrijd volgde. Haar hart bonkte in haar keel. Rebecca gaf de bal aan haar door. Zij gaf hem een allemachtige dreun en hij vloog de goal in. Op de tribunes barstte gejuich los. 'Goed schot, Lina, goed schot,' brulde de coach. Lina keek nog een keer het publiek langs op zoek naar haar vader. Hij was er niet, maar Dan wel, hij klapte in zijn handen en juichte, en dat was bijna net zo fijn.

Inmiddels was het twee maanden later, maar Lina dacht nog steeds minstens één keer per dag aan die wedstrijd. Ook nu, terwijl ze de gang door liep en langs de redactieruimte van de *Vuurvlieg* kwam. Door de glazen ruit in de deur zag ze Dan aan het bureau drukproeven zitten corrigeren.

Als ze bij de *Vuurvlieg* ging, zou ze meer contact met Dan krijgen. Daar had ze al vaak over nagedacht. Ze schreef graag gedichten, maar hield niet van het soort poëzie dat gewoonlijk in de *Vuurvlieg* stond. Het meeste werd geschreven door Ramona of haar vriendinnen Siobhan Gallagher, Maggie Schwartzman en Chandra Bledsoe. Allemaal medeoprichters van de Dan Shulmansekte. De gedichten waren altijd erg cryptisch, zodat zij de enigen waren die ze konden begrijpen. Er kwam veel bloed in voor, en dood, messen, schedels en vampieren- en religieuze symboliek... Een kruising tussen Emily Dickinson en *Night of the Living Dead*. Maar omdat ze allemaal in de redactie zaten, maakten zij uit wat er gepubliceerd werd.

'Sorry.' Ramona en Chandra liepen rakelings langs haar heen om bij de redactieruimte te komen. Ramona's dunne rode das zat zoals altijd om haar hals geknoopt. Die van Chandra was zwart. Wat een stomme dingen toch! Lina had de pest aan die dassen. Ze voelde zich erdoor bespot. Dans manier van kleden nadoen was echt niet de manier om zijn geweldigheid te eren. De beste manier was die van Lina: stilzwijgende, pijnlijke aanbidding.

'Aan het spioneren?' sneerde Ramona.

Lina schrok op. 'Nee! Helemaal niet! Waarom zou ik?'

Ramona grijnsde als een Halloween-pompoen. Ze had op een overdreven manier een lijn om haar lippen getrokken en die met paarse lippenstift ingekleurd. Er droop een beetje lippenstift uit haar mondhoek, alsof ze bloedde, of druivensap kwijlde.

'We plannen volgende week een *Vuurvlieg*-voorleesmiddag, als je soms wilt komen,' zei Chandra. Zij was nog maar net met dat gothic gedoe bezig en had het kwaad nog niet helemaal onder de knie. 'We richten de redactieruimte in als slachthuis, met overal bloed en lichaamsdelen. Het thema is "Dood aan de Normalen".'

'O.' Lina knikte beleefd. 'Klinkt leuk. Ik zal het aan al mijn vriendinnen doorgeven.'

Ramona hoorde het sarcasme in Lina's stem. Ze wachtte tot Chandra naar binnen was en fluisterde toen: 'Ik zie het in je ogen, Lina. Je denkt dat je beter bent dan wij. Maar dat ben je niet. Hou toch op je voor de waarheid te verstoppen. Je bent net als wij. Dood aan de Normalen. Wees maar niet bang, we zouden jou sparen. Jij bent niet normaal.'

'Geweldig. Bedankt.' Lina bleef stokstijf staan toekijken hoe Ramona met een stapel volgeschreven papieren op Dan af liep. Ze wist dat dat iets positiefs moest voorstellen, niet normaal zijn. In Ramona's ogen tenminste.

'Ik heb een doorbraak gehad,' verkondigde Ramona. 'Mijn ziel heeft eindelijk een hoger plan bereikt. Ik ben de hele nacht opgebleven om dat in dichtvorm vast te leggen.'

'Wat ben je toch productief, Ramona,' zei Dan. 'Wat zou de *Vuurvlieg* zijn zonder jou?'

In elk geval minder stom, dacht Lina.

Waarom maakte ze zich eigenlijk druk om wat Ramona en haar vriendinnen deden? Dat ging haar niets aan. Maar toch zat het haar helemaal niet lekker. Alles aan hen. Vooral die dassen.

Zij was toch een normaal, populair meisje? Nou ja, redelijk populair. Holly, Mads en zij gingen met de coole mensen om, maar zelf waren ze niet per se cool, nog niet tenminste. Maar Lina was heel anders dan die randfiguren. Ze had geen piercings in vreemde lichaamsdelen, ze verfde niet alles van zichzelf wat er maar te verven viel en ze vereerde geen zelfbedachte doodsgodin.

Maar ze hield wel van Dan. Net als zij. Diep vanbinnen leek ze misschien meer op hen dan ze wilde toegeven.

6 Mr. Getver

Mads zocht de parkeerplaats bij Vineland af naar Seans auto. Hij
had een jeep. Nergens te bekennen. Hij was er zeker nog niet.

Ze zwaaide naar Holly en Lina, die haar hadden afgezet. Ze
zwaaiden terug en reden weg om bij Holly thuis te wachten tot
haar date erop zat. Mads liep het café in en keek rond. Geen Sean,
en ook niemand anders die op een blonde Ashton Kutcher leek.
Ze ging naar de wc om haar haar, haar make-up en haar kleding
te inspecteren. Dit was de belangrijkste dag van haar leven. Haar
eerste date met Sean!

Holly en Lina hadden haar met de voorbereidingen geholpen.
Mads hield vol dat ze zwoel opgemaakte ogen moest hebben om
er mysterieus uit te zien. Volgens haar paste dat echt bij een blind
date, zelfs eentje die om vier uur 's middags plaatsvond. Daarom
bracht Lina zwarte eyeliner om haar ogen aan en vervaagde die.
Mads liet haar doorgaan tot ze eruitzag alsof iemand haar een paar
dreunen had verkocht. Holly zorgde voor de rode lippenstift.

In de toiletten van Vineland bestudeerde Mads het resultaat. Ze
wist niet goed hoe ze eruitzag, maar één ding wist ze wel, en dat
vond ze leuk ook, namelijk dat ze er heel anders uitzag dan anders.
Wat haar betrof was dat een verbetering.

Ze wilde er sexy uitzien, maar niet té. Het eeuwige probleem.
Daarom had ze onder haar korte corduroy rokje netkousen aan in
plaats van de gebruikelijke panty, en laarzen met hoge hakken.

Haar zwarte haar hing los.

Ze liep het café weer in en zocht een tafeltje. Het was klokslag vier uur. Ze pakte een tijdschrift en bladerde erin in de hoop er nonchalant uit te zien. Er gingen tien minuten voorbij, vijftien.

Waar bleef Sean?

Om zeventien over vier ging de deur open en kwam er een slungelige, fletse jongen binnen met gigantische voeten en zijn bruine haar in een rechte pony. Hij droeg een zwierige rood satijnen cape. Mads herkende hem. Hij zat in de negende klas en werd door iedereen Getver Gilbert genoemd. Eigenlijk heette hij Gilbert Marshall, en hij scheen hyperintelligent te zijn. Hij had twee klassen overgeslagen en was pas twaalf. Ze noemden hem Getver omdat hij meer dan een sukkel was, snoof als hij lachte, en tussen de middag dingen als brood-met-pindakaas-en-ansjovis at. Dat kon je zien omdat er aan het eind van de dag vaak nog een beetje ansjovispasta in zijn mondhoek plakte.

Mads verdiepte zich weer in haar tijdschrift, maar er viel een schaduw over de bladzijde. Ze keek op. Gilbert, die dan wel mager maar ook lang voor zijn leeftijd was, keek op haar neer.

'Hallo, Madison,' zei hij zacht.

'Hallo.' Madison ging verder met haar tijdschrift.

'Mag ik gaan zitten?'

'Nee. Ik wacht op iemand.'

'Weet ik.'

Mads keek op. Hoe kon hij dat weten?

'Je wacht op mij,' zei Getver Gilbert. 'Ik ben "john".'

Mads slikte. Ze voelde zich licht in haar hoofd worden.

'Jij bent john? Maar dat kan helemaal niet! John lijkt op Ashton Kutcher! Hij zit in de elfde!'

Gilbert zwaaide zijn cape naar achteren en ging tegenover haar zitten. 'Sorry. Ik heb gelogen.'

'Je hebt gelogen! Dat mag helemaal niet! Hoe kun je nou met

de juiste persoon in contact worden gebracht als je liegt in je vragenlijst?' Ze was woedend.

'Wat maakt een leugentje nou uit als de liefde van je leven op het spel staat?'

'De liefde van je leven?' Ze staarde hem niet-begrijpend aan. Ze kon nog steeds niet accepteren dat Sean Benedetto niet zou komen.

Gilbert wilde haar hand pakken, maar ze trok hem haastig weg.

'Madison Markowitz, jij bent het knapste meisje van de hele school. De hele plaats. Heel Californië. De hele VS. Het hele westelijk halfrond. Het...'

'Hou op! Ik snap het,' beet Mads hem toe.

'Het hele heelal,' besloot Gilbert. 'En ik ben gazoygel op je.'

Ze staarde hem aan. 'Gazoygel? Wat is dat nou weer?'

'Dat is Blastof, een bijzondere buitenaardse taal die ik zelf heb bedacht. Het betekent dat ik gek op je ben.'

'Heeft die bijzondere buitenaardse taal van je ook een woord voor "Rot op"?' vroeg Mads. 'Of voor "Laat me met rust"?'

'Natuurlijk,' zei Gilbert. 'Maar dat zijn zinnen, geen woorden.' Weer stak hij zijn hand uit. Mads ging op allebei haar eigen handen zitten om te voorkomen dat ze in zijn luchtruim terechtkwamen.

'Ik snap het wel, dit is een grote verrassing,' zei Gilbert. 'Ik ga even wat voor ons halen bij de bar. Wat wil jij? Ze hebben cakejes met jellybeans erop.'

'Ik wil dat je weggaat,' zei Mads. 'Ik hoef geen date met jou.'

'Je zult wel moeten,' zei Gilbert. 'Je hebt ons zelf bij elkaar gebracht. En hoe moet het anders met je project? Je moet verslag uitbrengen over onze date.'

'Wie zegt dat? Jij hebt gelogen op je formulier, dus het telt niet.' Mads keek koortsachtig rond. Wie was er allemaal? Wie zag haar met Gilbert praten? Met hem aan een tafeltje zitten? Aan een date met hem bezig?

Dit was precies het tegengestelde van wat ze hoopte te bereiken.

Ze wilde ervaring. Ze wilde een volwassener image. Ze wilde Sean. Dat zou ze allemaal niet bereiken met een twaalfjarige sukkel als date. Alleen al met hem gezien worden was voldoende om haar reputatie regelrecht naar het stenen tijdperk terug te sturen.

'Je… je hebt ervoor gezorgd dat je als heel iemand anders klonk,' zei ze. 'Hoe heb je dat voor elkaar gekregen?'

'Ik heb Sean Benedetto als voorbeeld gebruikt,' bekende hij. 'Ik bedoel, waarom niet? De meisjes zijn gek op hem. Het leek me de beste manier om een date te krijgen.'

'Het is niet eerlijk!' zei Mads. Ze stond van haar stoel op voor er iemand binnenkwam die ze kende en haar zag. 'En ik wil niet met een leugenaar uit! Onder valse voorwendsels! Enzovoort!'

Ze stormde het café uit, onderweg op haar hoge hakken over een kleedje struikelend. Ze kon haar moeder wel bellen om haar te komen ophalen, maar ze had geen zin om daarop te wachten en ze woonde niet zo ver weg. Daarom liep ze het hele eind naar huis op haar hoge hakken, terwijl de tranen en de zwarte make-up over haar wangen stroomden.

mad4u: megaramp! het was sean niet. jullie raden nooit wie het was. denk maar aan de grootste eikel die je kunt verzinnen.

linaonme: hitler?

mad4u: nee, suffie, iemand die op rosewood zit. getver gilbert!

mad4u: hollygolitely???

hollygolitely: oh, my god.

mad4u: hij had alles gelogen. ik ben naar buiten gestormd en naar huis gelopen en nou heb ik een gemene blaar op mijn hiel.

linaonme: ik hoop dat onze dates anders aflopen.

mad4u: je wordt bedankt.

linaonme: als die ook zo klote zijn krijg jij de schuld, holly.

hollygolitely: ik kan niet garanderen dat er niet weer een gilbert komt opdagen. maar ik heb geprobeerd alle misbaksels eruit te halen. ik doe mijn best jullie de beste datingbemiddeling voor jullie geld te geven.

linaonme: misschien kunnen we er beter double dates van maken. dan lijden we tenminste samen. ik weet wel dat jij denkt dat je jake soros krijgt maar mads' verhaal bewijst dat je het nooit zeker weet. als jouw date een leugenachtige sukkel blijkt te zijn, zul je blij zijn dat ik bij je ben.

hollygolitely: oké. bij onze eerste date gaan we samen.

mad4u: ik baal dat ik het proefkonijn was.

linaonme: misschien kunnen we de sukkels op de een of andere manier verwijderen.

mad4u: een sukkelquiz. ik geloof dat ik wel genoeg ervaring op dat gebied heb om een paar vragen te bedenken. het zal ze er misschien niet uit halen, maar we kunnen de quiz op onze site zetten als service voor iedereen. dan kunnen de sukkels ontdekken dat ze sukkels zijn en hulp zoeken.

hollygolitely: meteen doen.

Quiz: Ben jij een sukkel?

We vermoeden dat je wel weet wie of wat je bent. Maar mocht je nog twijfelen, dan kun je deze quiz doen om erachter te komen hoe sukkelig je nu echt bent.

1 Het eerste wat je doet als je 's ochtends wakker wordt is:
- A je tanden poetsen
- B je e-mail checken
- C de pizza van drie dagen geleden opeten die je onder je bed tegenkomt
- D per ongeluk op je bril trappen, en die met zwarte tape proberen te repareren

2 Wanneer je je aankleedt voor school:
- A bel je je vriend(inn)en om te horen wat zij aantrekken
- B trek je de zorgvuldig gekozen outfit aan die je de vorige avond hebt klaargelegd
- C trek je het eerste aan wat je tegenkomt
- D stof je je Star-Trekkostuum af

3 Het eerste wat anderen aan jou opvalt is:
- A je vrolijke glimlach
- B je modegevoel
- C je eigenaardige kapsel
- D een vreemd luchtje

4 Je lievelingsvak op school is:
- A gymnastiek
- B Engels
- C natuurkunde
- D wiskunde

5 Jouw idee van een perfecte avond is:

A   met een aantrekkelijk iemand uit eten en naar de film

B   met je vriend(inn)en optrekken

C   met je moeder samen een legpuzzel doen

D   jij, je computer en een pak roze koeken

6 Later wil je worden:

A   filmster

B   dokter

C   uitvinder van computerspellen

D   Frodo

Je score:

voornamelijk A's: sukkelvrij

voornamelijk B's: een vleugje sukkel

voornamelijk C's: grote sukkelaanleg

voornamelijk D's: 100% sukkel

Ik hoop dat alle sukkels op RSAOB deze quiz doen en zichzelf veranderen, dacht Mads. Ervan uitgaand dat verandering mogelijk is. Ze kon zich niet voorstellen wat er voor behandeling nodig zou zijn om Gilbert sukkelvrij te maken. Maar dat was haar zorg niet meer. Zij wist alleen dat ze nooit meer zo'n date wilde meemaken.

7 Bewijs dat je een mens bent

Aan: linaonme
Van: Elke dag je horoscoop

Dit is je horoscoop voor vandaag: Kreeft: Je bent o-zo-gevoelig en denkt vaak dat anderen je niet begrijpen. Maar misschien begrijpen ze je wél. Misschien ben je écht gek. Zo beter?

'Ik ben zo blij dat we hebben besloten dit samen te doen. In mijn eentje zou ik het nooit kunnen,' zei Lina.

Holly parkeerde voor Zola's, een drukbezocht visrestaurant in de buurt van de jachthaven van Carlton Bay. Het was zaterdagavond, tijd om te ontdekken wie zich achter de namen 'spits' en 'hot-t' verstopten. Lina gluurde door de ramen naar binnen alsof ze daar wijzer van zou worden.

'Tuurlijk zou je dat kunnen,' zei Holly. 'Je had er alleen niet veel zin in.'

Dat was zo. Lina wist niet wie hot-t was, maar het enige wat ze wel over hem wist – dat hij Dan niet was – zorgde ervoor dat het haar eigenlijk ook niets kon schelen.

Holly wilde al naar binnen gaan, maar Lina greep haar bij haar arm. 'Als we eens iets afspraken,' zei ze. 'Als een van ons beiden er niks aan vindt en naar huis wil, zeggen we: "Ik heb ontzettende hoofdpijn."'

'Dat klinkt echt nep,' zei Holly.

'En als ik mijn telefoon pak en zeg: "Ik heb een sms'je van mijn moeder dat ons huis net ontploft is en dat ik meteen thuis moet komen"?'

'Te dramatisch,' vond Holly. 'Als we nou eens gewoon zeggen dat we gebeld worden en even moeten opnemen? Dan kan degene die het niet leuk vindt – en het ziet er nu al naar uit dat jij dat bent, zoals je nu doet – dan kan die even weglopen en gaat de ander kijken wat er aan de hand is en dan zeggen we tegen de jongens dat we meteen naar huis moeten. Oké?'

'Oké.' Lina haalde diep adem en deed de deur open. 'Kom op.'

Ze liepen het restaurant in. Meteen zag Holly Jake: gedrongen, gespierd, een vrij groot hoofd met kortgeknipt zwart haar. Hij zat aan de bar met een andere jongen, die haar bekend voorkwam. 'Dat moeten ze zijn,' zei ze.

Zij liep voorop, met Lina achter haar aan. Lina probeerde haar date in te schatten. Toen ze dichterbij kwamen, keek hij hun kant op. Hij was langer dan zij – dat was alvast goed. Misschien een beetje te dun. Bruine dreadlocks die achter in zijn nek in een nette knot zaten, met een rood koord samengebonden. Lichtbruine huid, beige haast, en groene ogen. Ze moest toegeven dat hij eigenlijk heel leuk was.

'Wie van jullie is spits?' vroeg Holly.

Jake stak zijn hand op. 'Ik. Mijn echte naam is Jake Soros.' Alsof ze dat niet wist. Hij knikte naar de jongen naast hem. 'Deze vent herkende ik van school. Blijkt dat hij ook op een blind date zit te wachten.'

'Dat ben ik,' zei Lina. 'Lina Ozu.'

'Ik ben Walker Moore,' zei Lina's date. Walker Moore... de naam klonk bekend. Ze had hem natuurlijk wel eens op school zien rondlopen, maar er was nog iets...

'En ik ben Holly Anderson.' Ze leken wel een stel nieuwe presentatoren die zich aan de kijkers voorstelden.

Jake stond op en zei: 'Kom op, dan zoeken we een tafel.'

Holly liep achter hem aan naar een hoektafel. Het was druk in het eethuis, en ze was opgewonden. Ze was wel eens met een jongen naar een feestje of een dansavond geweest en had wel eens met een jongen gegeten, maar veel echte onvervalste dates had ze nog niet gehad. En dit leek er echt op.

Toen ze gingen zitten, wist Lina opeens waar ze Walkers naam van kende. 'Hé,' zei ze. 'Schrijf jij voor de *Ziener*?' De *Ziener* was de leerlingenkrant van Rosewood.

'De sport,' zei hij. 'Zo ken ik Jake.' Jake, de ster van het voetbalteam, stond regelmatig op de sportpagina van de *Ziener*.

Lina vond het leuk dat Walker voor de krant schreef, maar als hij zo'n geweldige vent was, waarom koos hij dan 'hot-t' als gebruikersnaam? Dat klonk nogal verwaand, vond ze.

Een ober kwam hun bestelling opnemen. Het menu stond op de placemats gedrukt. 'Ik probeerde aan de bar bier te bestellen, maar ze wilden me niet bedienen,' zei Jake toen de ober weg was.

'We kunnen na het eten wel bier drinken als we daar zin in hebben,' zei Walker. 'Ik heb thuis een koelkast vol.'

Na het eten? Hoe lang ging die date eigenlijk duren? vroeg Lina zich af.

'Dus jij schrijft over sport?' vroeg Holly. 'Lina schrijft ook.'

'Hé, cool,' zei Walker. 'Wat schrijf je?'

'Meestal gedichten en verhalen en zo,' antwoordde Lina.

'Ik heb de pest aan schrijven,' zei Jake. 'Ik vond het al haast te veel werk om de vakjes in die datingquiz van jullie aan te kruisen.'

'Vond je de quiz leuk?' vroeg Holly.

'Ja, die was wel geinig,' zei Jake. 'RSAOB is een aardig grote school. Er zitten massa's knappe meiden op die ik nog nooit heb ontmoet.' Hij grijnsde naar Holly en tikte onder de tafel met zijn voet tegen de hare.

Ze kreeg het er warm van. Hij vond haar leuk! Ze had dit jaar en het jaar ervoor bij alle thuiswedstrijden naar hem gekeken. Hij leek misschien niet veel bijzonders zoals hij daar tegenover haar aan tafel zat, hoewel… hij was wel een schatje, met dat zwarte pluishaar en zelfs wat stoppeltjes op zijn kin. Mannelijk. Hij leek ouder dan hij was. Dat kon je op het veld goed zien, aan zijn sterk gebouwde lichaam en die fantastische snelheid van hem. Hij was aanvoerder. Het elftal volgde hem, en hij was echt de leider. Dat was iets wat Holly wel aansprak.

'Jullie hadden vorig jaar de kampioenschappen moeten halen,' zei Walker. 'Mill Valley beging de ene overtreding na de andere, maar de scheidsrechters floten nooit!'

'Vertel mij wat,' zei Jake. 'Die scheidsrechters wonen allemaal in Mill Valley. Maar ik denk dat het ons komend jaar wel lukt. Er zitten een paar goede spelers aan te komen uit de negende klas.'

Het eten rook lekker: broodjes gebakken vis en dampende kommen vissoep. Jake glimlachte tegen Holly en raakte onder de tafel weer haar voet aan. Ze begonnen alle vier te eten en het werd stil aan tafel, tot Jake tegen Walker zei: 'Heb je die Freddy Adu wel eens zien voetballen? Die is net zo oud als wij en hij is nou al prof...'

Holly keek Lina aan. Ze bleven stil zitten luisteren tot ze het zat werden. Zo te horen kon dat voetbalgesprek nog uren doorgaan. Daarom gingen ze zichzelf maar vermaken met het analyseren van het laatste bericht op 'Nuclear Autumn'. Blijkbaar ging Autumns vader met een meisje van vierentwintig en was Autumn van plan dat te saboteren.

Ik had me nooit door Lina moeten laten overhalen voor een double date, dacht Holly. De jongens hadden meer aandacht voor elkaar dan voor de meisjes.

De rekening kwam en de jongens betaalden. Lina en Holly boden aan om samsam te doen, maar dat wilden ze niet. Eindelijk gedroegen ze zich alsof ze met een meisje uit waren.

'Wat zullen we nu gaan doen?' vroeg Jake. 'Het is nog vroeg.'

'Als we eens naar mij thuis gingen,' zei Walker. 'Mijn moeder vindt alles goed, en we hebben de garage voor ons alleen.'

Misschien wordt het leuker als we bij Walker thuis zijn, dacht Holly. Sommige jongens voelden zich niet zo op hun gemak in een restaurant; al dat aan tafel zitten en zorgen dat hun shirt netjes in hun broek zat vonden ze maar lastig. Maar bij Walker thuis zouden ze zich wel beter op hun gemak voelen. En wie wist wat er dan zou gebeuren?

Lina haalde haar mobieltje uit haar tas. 'Hij staat op de trilstand,' loog ze en ze wierp een blik op het scherm alsof ze wilde zien wie er belde. 'O jee, een sms'je van mijn moeder. Ons huis is ontploft!'

'Wat?' riep Walker.

'Ze maakt maar een grapje,' zei Holly, wat haar een vuile blik van Lina opleverde.

'Help!' Lina staarde naar het scherm. 'Mijn ouders worden gegijzeld door een gek met een geweer! Ik moet naar huis!'

'Haha,' zei Holly. 'Is ze niet om te gillen?'

Lina fronste haar wenkbrauwen. 'Maar serieus, mijn moeder belt, en dat zou ze niet doen als het niet belangrijk was.' Ze stond op. 'Ik loop even daarheen om op te nemen.' Ze liep naar het toilet.

'Ik ben zo terug,' zei Holly en ze ging er achteraan.

'Wat mankeert jou?' vroeg ze aan Lina, die haar mobieltje weer in haar tas stopte.

'Wil jij echt naar Walkers huis?' vroeg Lina. 'Ik vind het wel mooi geweest voor vanavond.'

'Kom nou, Lina, laat me nou niet in de steek.'

'Walker is best aardig, maar het klikt gewoon niet met hem.'

'Je probeert het niet eens,' zei Holly. 'Jake zit de hele tijd voetje te vrijen met me. Toe nou, Lina. Ik wil alleen maar zien hoe het vanavond verder met hem gaat. Hij is zo… imposant.'

Lina rolde met haar ogen. 'En wat moet ik dan doen terwijl jullie voetje zitten te vrijen?'

'Met Walker praten! Hij is aardig. En hij schrijft.'

'Over sport. Niet echt iets wat mij interesseert. Behalve hockey dan. Wat hem vermoedelijk geen moer interesseert.'

'Wie weet heeft hij een verborgen gevoelige kant, die jij bij hem thuis kunt ontdekken. Vast! Dat hebben alle jongens.'

'Hoe weet jij dat?'

'Dat heb ik in *Seventeen* gelezen. En dat is de bron van alle waarheid, vraag maar aan Mads. Alsjeblieft, Lina? Doe het voor mij? Voor deze ene keer?'

'Goed dan. Ik doe het alleen voor jou. Deze ene keer.'

'Dankjewel! Ik maak het nog wel een keer goed bij je.'

De jongens stonden bij de buitendeur op hen te wachten. 'Geregeld?' vroeg Jake. 'En, zin om mee naar Walker te gaan?'

'Klinkt goed,' zei Holly. 'Ik rijd wel achter jullie aan.'

Walker woonde een paar kilometer verder in een modern huis dat tegen een heuvel lag. In de keuken werden ze door zijn moeder in haar badjas begroet, ze wilde net naar bed gaan.

'Kijk maar rustig rond als jullie iets nodig hebben,' zei ze. 'We hebben genoeg in huis. Nou, welterusten dan maar, liefje.' Ze kneep met één hand in Walkers wangen en gaf hem een kus. Hij trok een gezicht maar daarachter was een glimlach zichtbaar. 'Maak het niet te laat. En maak je broertjes niet wakker.'

'Komt voor mekaar,' beloofde hij.

'Jee, wat gaat jouw moeder vroeg naar bed,' zei Jake. Het was halftien.

'Ja. Ze moet er vroeg uit voor haar werk,' zei Walker. Hij pakte een bak chips en ging hen voor naar de garage, die als ontspannings- ruimte was ingericht. 'Daar staat nog een koelkast waarin mijn moeder al het bier heeft staan,' zei hij.

Er lag vloerbedekking in de garage en verder waren er een grote leren bank, een loveseat, een flatscreen tv, een geweldige audio-installatie, verlichting met afstandbediening en een bar. Holly ging op de loveseat zitten. Lina plofte naast haar neer. Holly keek haar vuil aan, maar Jake redde de situatie. 'Waarom kom jij niet hier naast me zitten, Holly?' vroeg hij en hij klopte op de lege plaats naast hem op de bank.

Holly wisselde van plaats. Ze was zenuwachtig. Vond hij haar echt leuk? Tenslotte had híj haar niet mee uit gevraagd. Zij had zichzelf aan hem gekoppeld. En een stemmetje in haar achterhoofd zei: En als... En als jij voor hem nou alleen maar Boezembabe Holly bent, het meisje met de supertieten dat Nick Henin heeft ingepikt? Stom stemmetje. Ze onderdrukte het. Die stemmetjes hadden trouwens lang niet altijd gelijk.

Walker zette muziek op en trok voor iedereen een flesje bier open. Holly nam een slokje, blij dat ze iets had om met haar handen te doen. Lina zette haar flesje zonder ervan te drinken op de salontafel.

'Lust je geen bier?' vroeg Walker. 'We hebben ook wijn, of wodka en zo, als je dat wilt.'

'Hoeft niet,' zei Lina. 'Ik lust wel bier. Ik ben er alleen niet zo voor in de stemming op het moment.'

Ze haatte het geluid van haar eigen stem toen ze zichzelf die woorden hoorde zeggen. Waarom deed ze zo stijf? Zo was ze heus niet altijd met jongens, maar vanavond leek het wel of de kille geest van haar moeder in haar lichaam huisde. Lina had zich altijd zo voorgenomen om niet op haar moeder te gaan lijken, en moest je haar nu zien: snibbig drankjes aan het weigeren en voor iedereen de avond aan het verpesten.

Wat had Lina toch? vroeg Holly zich af. Ze gedroeg zich als kampioen-avondbederver. Walker was leuk en aardig... maar alleen omdat hij verdomme hun leraar niet was...

Walker dimde het licht en ging naast Lina op het bankje zitten. De muziek stond hard, gelukkig maar, dacht Lina. Want ze had geen idee waarover ze moest praten. De anderen trouwens ook niet, leek het. Ze zaten er een beetje ongemakkelijk bij. Holly sloeg haar benen over elkaar en liet haar voet op de maat van de muziek heen en weer gaan.

Jake probeerde de manoeuvre van gapen-en-je-arm-om-hetmeisje-slaan. Holly glimlachte. 'Zo goed?' vroeg hij.

'Relaxed,' zei ze.

Hij trok haar tegen zich aan en zoende haar een beetje aarzelend op haar mond, alsof hij niet goed meer wist hoe je dat deed, dat zoenen. Holly was verbaasd. Jake leek zo iemand die meteen de leiding nam als het om meisjes ging. Maar wie weet? Misschien was dit een tactiek om te zorgen dat ze niet op haar hoede was. Het was in elk geval een begin. Holly wou dat ze na het eten haar tanden had kunnen poetsen. Ze had nog steeds de smaak van de vissoep in haar mond. Jakkie.

Doe nou maar, zei ze tegen zichzelf. Verlegen kuste ze hem terug. De stoppeltjes om zijn mond voelden ruw aan. Ze had nog nooit een jongen met zoveel baard gezoend.

Hij ging een stukje achteruit, keek in haar ogen en dook toen weer naar voren voor meer. Hij zoende nu krachtiger, maar toch leek het nog steeds een beetje halverig. Ze beantwoordde zijn zoen, voelde zichzelf wat ontspannen en opende haar mond. Hij reageerde niet, en daarom liet ze haar tong even zijn mond in gaan.

Vaag merkte ze dat er aan de andere kant van de ruimte ook armen en benen bewogen, en ze dacht: goed zo, Lina.

Holly en Jake gingen helemaal in elkaar op. Walker streelde Lina's haar terwijl zij haar hersens pijnigde voor iets om over te praten. Hield ze maar van jongenssporten! Dat leek een onuitputtelijke bron voor veilige jongensgesprekken. Ze nam zich heilig voor dat jaar vaker naar baseball te kijken.

'Wat heb je mooi haar,' zei Walker. 'Zo glanzend.'

'Dank je,' zei Lina.

'Doe je er iets speciaals in? Om het zo te laten glanzen, bedoel ik?'

'Babyolie,' antwoordde Lina.

'Ik ook,' zei Walker. 'Alleen lijkt dat bij mij niet zo goed te werken.'

Dit moest wel een dieptepunt in de geschiedenis van jongen-meisje-gesprekken zijn.

Onwillekeurig keken ze allebei naar het geworstel van Holly en Jake op de bank. Van waar zij zaten, zag het er behoorlijk heftig uit.

Walkers hand schoof van Lina's haar naar de mouw van haar blouse. Ze verstijfde. Alleen omdat Holly en Jake zo tekeergingen, moesten Walker en zij ook? Ze kende die knul nauwelijks!

Plotseling trok Walker haar lichaam tegen het zijne en drukte haar hoofd tegen zijn borst. 'Je haar ruikt zo lekker.' Wat had die jongen toch met haar haar? Hij wreef over de rug van haar blouse. Lina had het gevoel dat hij een manier zocht om eronder te komen.

Ze duwde hem met twee handen weg. 'Walker...'

Hij liet haar meteen los. 'Sorry, sorry,' zei hij.

'Nee, geeft niet.' Nu voelde Lina zich rot. Ze wilde hem niet kwetsen. 'Alleen, eh, ik wil je graag beter leren kennen voor we aan dat geknuffel en gezoen beginnen.'

'Ik snap het,' zei Walker. 'Geen probleem.' Hij keek weer naar de overkant, naar Jake en Holly. Die hoorden of zagen niets.

'Denk je dat ze het erg zouden vinden als ik de tv aanzet?' fluisterde hij tegen Lina.

'Volgens mij merken ze het niet eens,' zei Lina.

Jake zoende Holly nu fanatieker, hij begon in de stemming te komen. Holly begon er steeds meer in op te gaan en alles om zich heen te vergeten. Hij schoof zijn hand onder haar sweater, op de naakte huid van haar rug. Opgewonden drukte ze zich tegen hem aan.

En toen verstijfde hij. Zijn lippen werden slap, zijn hand viel uit haar sweater en hij week naar achteren. Wat deed ze verkeerd?

'Jake?' fluisterde ze. 'Is er iets?'

'Nee, hoor,' zei hij terwijl hij zich van haar losmaakte. 'Niks aan de hand. Ik wou alleen even een nieuw flesje bier pakken. Jij ook?'

Ongelovig keek ze toe hoe hij opstond en naar de koelkast bij de bar liep. Hij keek naar haar om en herhaalde zijn vraag met zijn ogen. Nog een biertje?

'Nee, dank je,' zei ze. 'Ik heb nog.' Ze pakte haar flesje, dat warm was geworden, en nam een lauwe slok. De tv stond aan. Lina en Walker zaten zonder elkaar aan te raken op de loveseat naar een Japanse tekenfilm te kijken.

Jake kwam terug met zijn bier. Hij ging aan de andere kant naast haar zitten, aan het uiteinde van de bank, een heel leren kussen van haar vandaan.

Wat was dat nou daarnet? vroeg Holly zich af. Hij had zich teruggetrokken toen zij zich tegen hem aan drukte. Heb ik te veel initiatief genomen?

Jake keek haar kant op en glimlachte naar haar. Toen keek hij weer naar de tekenfilm. Dat was het dus. Holly had geen zin om nog langer te blijven.

'Hé, Lina, ik geloof dat we zo eens weg moeten,' zei ze.

Lina sprong zo ongeveer overeind. 'Ja, mijn ouders wachten op me.'

'Hè, moeten jullie al weg?' Walker klonk teleurgesteld.

'Ja, vóór elf uur thuis, weet je wel,' zei Holly. Dat hoefde ze helemaal niet – haar ouders waren heel makkelijk – maar dat hoefde Jake niet te weten.

De jongens stonden op en liepen met hen mee naar de voordeur. 'Tot gauw, Lina,' zei Walker.

'Dag,' zei Lina.

'Ik loop even mee naar de auto,' zei Jake.

Lina en Holly liepen naar Holly's Kever, met Jake achter hen aan. Lina stapte in. Holly leunde tegen het portier aan de kant van de bestuurder. Jake gaf haar een luchtig kusje en zei: 'Het was heel leuk om je te leren kennen. Ik bel je gauw.'

'Super,' zei Holly. Ze opende het portier en stapte in. 'Bedankt voor het eten! Dag!'

Ze reed de oprit af. 'Waarheen?' vroeg Lina. 'Ik heb nog geen zin om naar huis te gaan.'

'Ik ook niet,' zei Holly. 'Naar Huize Markowitz?'

'Perfect.'

'Ik snap het niet, Lina,' zei Mads. Ze zat in kleermakerszit op de indianendeken die ze als sprei gebruikte. 'Wat was er nou, was hij niet leuk?'

'Hij was leuk,' zei Holly.

'Hij was leuk,' herhaalde Lina. 'Nou en? Kapitein Mauw-Mauw is ook leuk, maar daarom ga je nog niet met hem zitten zoenen.' Ze tilde Mads' kieskeurige Siamese poes op en drukte hem tegen zich aan. Hij sprong uit haar armen en ging ervandoor.

'Trek het je maar niet aan,' zei Mads. 'Mijn moeder beweert dat Kapitein Mauw-Mauw territoriumproblemen heeft sinds we Boris hebben geadopteerd.'

Boris was de nieuwe boxerpup van de familie Markowitz. Hij werd beneden in de woonkamer getraind door M.C., en naar haar idee kwam er aan huisdierentraining veel kaarsen branden en zingen te pas. Audrey en Russell zaten samen een videospelletje te doen. En dat allemaal om elf uur 's avonds, wanneer het bij Lina thuis altijd donker en stil was, met alleen in Lina's kamer en in die van haar ouders nog een lampje aan, om in bed bij te lezen. Daarom vond ze het zo fijn bij Mads thuis: vierentwintig uur per dag chaos.

'En Holly dan?' vroeg ze aan Mads. 'Waarom ga je niet even tegen haar tekeer?'

'Hé, ik heb mijn best gedaan,' zei Holly. 'Maar Jake werkte niet mee.'

'Misschien wil hij niet te hard van stapel lopen,' zei Mads. 'Dan moet hij je echt aardig vinden, als hij het rustig aan wil doen.'

'Ik weet niet,' zei Holly. 'Stel je voor dat hij me gewoon niet aardig vindt? Dat hij me walgelijk vindt? Stel je voor dat hij me uit mijn mond vond stinken? Misschien heeft hij wel de pest aan de smaak van vissoep.'

'Die had hij zelf ook op,' zei Lina. 'Dus die kon hij bij jou waarschijnlijk niet eens proeven.'

'En je bent zo mooi, hoe zou hij je dan walgelijk kunnen vinden?' vulde Mads aan. 'Doe nou niet zo paniekerig. Gewoon afwachten of hij je belt. Ik denk dat hij gewoon geen player is. En dat is juist positief.'

'Ik hoop dat je gelijk hebt,' zei Holly. 'Maar zo voelt het niet.'

Mads keek van Holly naar Lina en weer terug. De een vond haar jongen leuk, maar hij deed vreemd. De ander vond haar jongen niet leuk, ook al vond hij haar duidelijk wel aardig. Was liefde altijd zo?

'Nou, zo te horen vindt Walker jou in elk geval wel aardig, Lina,' zei ze. 'Al die opmerkingen over je haar dat zo glanst en zo lekker ruikt.'

'Nou en of vindt hij haar leuk,' zei Holly. 'En hij lijkt echt cool. Maar Lina gaf hem gewoon geen kans.'

'Dat is niet waar,' protesteerde Lina. 'Ik mocht hem best. Er is niks mis met hem of zo. Het klikte gewoon niet, dat is alles.'

'Komt het door Dan?' vroeg Mads. 'Want als dat zo is, ben je een sufkop.'

'Nee,' loog Lina. 'Daar heeft het niks mee te maken.'

Ze schaamde zich te veel om de waarheid te vertellen. Ze vond Dan niet gewoon áárdig, ze was gek op hem! Ze dacht de hele tijd aan hem. Ze zou nooit om een andere jongen kunnen geven, nooit. Nooit. Hoe kon een highschoolleerling tegen Dan op? Die waren zo saai. En stom. Al dat geklets over sport en glanzend haar. Waar was de poëzie? De passie?

Holly en Mads zouden het nooit begrijpen. Zij hielden van gewone jongens. Dat vond Lina best. Als zij tevreden konden zijn met tweederangsmensen, dan mochten ze daar blij om zijn.

8 De relatiegodinnen

Aan: hollygolitely
Van: Elke dag je horoscoop

Dit is je horoscoop voor vandaag: Steenbok: Je bent nog nooit zo populair geweest! Geniet er maar van voor je koets weer in een pompoen verandert.

Vak: *Interpersoonlijke Menselijke Ontwikkeling*
Leraar: *Dan Shulman*

De Dating Game: *tussenverslag, week 1*
door Holly Anderson, Madison Markowitz en Lina Ozu

De Dating Game website is enthousiast ontvangen door de doelgroep, d.w.z. de leerlingen van RSAOB. Op dit moment hebben 207 van de 816 leerlingen, oftewel ruim een kwart, de vragenlijst ingevuld. Van de respondenten is ongeveer 65% vrouwelijk en 35% mannelijk.

Wat onze vraagstelling betreft (wie zijn er meer met seks bezig, jongens of meisjes?) wijzen de resultaten tot nog toe op fiftyfifty. De steekproef is echter niet representatief. We hebben meer antwoorden van jongens nodig. We hebben er alle vertrouwen in dat onze hypothese, dat jongens de grootste seksmaniakken zijn, door verder onderzoek zal worden bevestigd.

Bijgevoegde tabellen en grafieken geven een overzicht van de resultaten van de vragenlijsten. We hebben de tabellen ook op de site gepost, zodat iedereen zijn eigen antwoorden kan vergelijken met die van andere leerlingen. Zoals je kunt zien beweren veel leerlingen dat ze al uitgebreide seksuele ervaring hebben. Als daarbij sprake is van enige overdrijving, kunnen wij daar niet verantwoordelijk voor worden gehouden.

Wat de datingservice betreft: tot nog toe hebben we tien stellen aan een date geholpen. Twee daarvan waren geslaagd (wij noemen het een succes als beide partijen instemmen met een tweede date). Twee liepen uit op een complete ramp. Over de rest is de jury nog in beraad.

De Dating Game, Vragenlijst 2:

Wie zijn de grootste seksmaniakken, jongens of meisjes?

Oké, mensen, we proberen het nog een keer. En als je een jongen bent: antwoord alsjeblieft. We hebben meer reacties van jongens nodig.

Heb jij een hoofd vol seks?

Vink het vakje aan naast elke uitspraak die voor jou geldt.

1 ☐ Ik ben een jongen
2 ☐ Ik ben een meisje
3 ☐ Ik heb de afgelopen nacht over seks gedroomd
4 ☐ Ik droom elke nacht over seks
5 ☐ Ik vind soaps sexy
6 ☐ Ik vind *Weekendmiljonairs* sexy
7 ☐ Mijn ouders kloppen nooit voor ze mijn kamer in komen, en dat vind ik niet erg
8 ☐ Mijn beste vriend(in) is van het andere geslacht. Als hij/zij verliefd op mij werd, zou ik een hartstilstand krijgen
9 ☐ Mijn beste vriend(in) is van het andere geslacht. Als hij/zij verliefd op mij werd, zou ik dat geweldig vinden
10 ☐ Ik kijk naar *MTV Spring Break* voor de reistips

11 ☐ Als ik zeg dat iemand een schatje is, bedoel ik dat zoals een knuffeldier een schatje kan zijn

12 ☐ Als ik zeg dat iemand een schatje is, wil dat zeggen dat ik me hem/haar naakt voorstel

Score:

Als je de vakjes 7, 8, 10 en 11 hebt aangevinkt, ben je preuts.

Als je de vakjes 3, 5 en 9 hebt aangevinkt, ben je vrij normaal.

Als je de vakjes 4, 6 en 12 hebt aangevinkt, ben je een smeerlap.

'Kijk eens aan, als dat de Boezembabe niet is,' slijmde Sebastiano. 'Zo te merken sta jij ineens weer een treetje hoger op de maatschappelijke ladder, Holly. Ik moet proberen vaker met jou gezien te worden.'

Maandagochtend, en de gangen gonsden van het gepraat over de Dating Game. Holly had het ook al gemerkt, maar door haar ontmoeting met Sebastiano twee keer per dag bij hun kluisjes bleef ze op de hoogte van het laatste nieuws.

'Ik heb gehoord dat Ingrid op jullie website een liefdesslaafje of zoiets heeft gevonden,' zei hij. 'Die jongen is nota bene bij haar thuis gekomen om haar kamer voor haar op te ruimen! Hij heeft zelfs haar schoenen gepoetst! Ze is in de zevende hemel!'

'Goeiemorgen, Sebastiano,' zei Holly, alsof hij een normaal mens was die normale gesprekken voerde. 'Leuk weekend gehad?'

'Ik vind die tabellen van jullie geweldig,' zei hij. 'Waarop je kunt zien hoe ervaren de leerlingen zijn. Ik had geen idee dat deze school zo vol smeerlappen zat!' Hij keek rond, alsof de suffe jongen die langsliep met zijn skateboard stiekem een seksverslaafde kon zijn. 'Het is zo spannend! Het zet je hele idee over deze school op zijn kop! Bijvoorbeeld, wat zouden we vandaag voor nieuws leren?'

Holly zocht in een stapel boeken op de plank in haar kluisje. 'Hebben we vandaag een SO meetkunde?'

'Is dat zo? Nee hè! Ik heb niks geleerd. Vroeg je naar mijn weekend? Daar kan ik me nauwelijks iets van herinneren, dus het zal wel geslaagd zijn geweest.'

'Klinkt beter dan het mijne,' zei Holly.

'Beter dan het jouwe? Hoe kan dat nou? Jij hebt het hele weekend kunnen genieten van het feit dat jullie de geweldigste uitvinding voor Rosewood hebben gedaan sinds ze met volleybal voor meisjes zijn begonnen. Een seks-website! Met een beschrijving van de intiemste gedachten en verlangens van elke eikel op school! Echt geniaal.' Hij drukte een kus op zijn vingertoppen, als een rasechte Italiaan. Wat kon hij toch een uitslover zijn, die Sebastiano. 'Je hebt je het hele weekend in je triomf gewenteld! Ja toch?'

'Veel wentelen was er niet bij,' zei Holly, al begon het tot haar door te dringen dat ze dat misschien best mocht doen.

'Hmm. Volgens "Nuclear Autumn" ben je anders wel aardig druk geweest.'

'Je moet niet alles geloven wat je leest,' zei Holly. 'Autumn is te laf om te schrijven over wat ik écht heb gedaan.'

'Oeh. Vertel op. Ik kan er wel tegen. Ik ben niet te shockeren.'

Holly blufte natuurlijk, maar ze loog eigenlijk niet. Autumn zou echt niet over haar date met Jake willen schrijven. Veel te saai.

Maar Holly had gezien wat er op internet allemaal over haar gezegd werd. Een muur vol virtuele graffiti over 'de Boezembabe'. Anonieme chatters die vertelden dat ze Holly op het kerstfeestje naakt hadden gezien met Nick, dat Holly jongens altijd zomaar in hun kruis greep, dat Holly in hoerenkleren op de hoek van Rutgers Street en Tapp Street stond... Ze probeerde zich er niets van aan te trekken, maar het maakte haar nijdig. Hoe konden mensen zulke dingen zomaar verzinnen?

En moest je Sebastiano nu zien, die zo ongeveer kwijlend op een verslag van haar spannende weekend stond te wachten. Ze vond het jammer hem teleur te stellen.

'Ik zal je de details besparen. Laten we het er maar op houden dat ik een blind date had.'

'Niks details besparen! Die zijn juist het leukst!'

'Sorry. Ik praat niet over mijn liefdesleven.'

'Vertel dan alleen wie het is,' smeekte Sebastiano.

Ze aarzelde. Ze kende Sebastiano al vanaf de zesde klas, maar ze waren niet echt bevriend. Ze belden elkaar nooit, zaten nooit samen op MSN en deden nooit moeite buiten school met elkaar op te trekken. Maar door alfabetisch toeval hadden ze nu al vijf jaar kluisjes naast elkaar. Bij iedere schoolbijeenkomst zaten ze naast elkaar. Ze waren goede kennissen. En op zijn eigen vreemde manier was hij meestal eerlijk tegen haar. 'Jake Soros.'

'Die voetbalhooligan? Jij kunt toch wel beter krijgen, Holly. Hij kan wel wat onderhoud gebruiken. Al is hij wel goedgebouwd.'

'Onderhoud?'

'Je weet wel, verzorging. Nagels schoonmaken, wat beter scheren… het is nogal een harig type. Die krijgt nog een hoop ellende met haargroei op zijn rug, later als hij groot is.'

Holly waren alleen maar die stoppeltjes op zijn kin opgevallen. Misschien had hij zijn nagels schoongemaakt voor hun afspraakje. 'Ik vind hem aardig,' zei ze.

'Jij hebt een beroerde smaak.'

'Hoe kun jij dat nou weten?'

'Ik zie wat hier op school allemaal gebeurt. Ik weet alles.'

'Nou, wie is er dan volgens jou sexy?'

'Ik zal jouw voorbeeld volgen en je "de details" besparen. Dat zal je leren om discreet te zijn. Tot kijk.' Hij sloot zijn kluisje en liep de gang in.

'Ik laat je niet afkijken bij meetkunde!'

Snel draaide hij zich om en stak een waarschuwende vinger naar haar op. 'Jij doet wat ik zeg!' Een paar jongens die net langsliepen, hinnikten. Lina en Mads kwamen met hun boeken in hun armen aanlopen en zeiden Sebastiano gedag.

'Hallo, meiden,' zei hij. 'Hoe bevalt jullie nieuwe status als relatie-godinnen?'

'Relatiegodinnen?' Mads straalde. 'Wanneer is dat gebeurd?'

'Van de ene dag op de andere!' riep Sebastiano terwijl hij om een hoek verdween. 'Zulke dingen gebeuren altijd van de ene dag op de andere.'

'Waar sloeg dat allemaal op?' vroeg Lina.

'Gewoon een uitstapje naar planeet Sebastiano,' zei Holly.

'Ik geloof echt dat er vanochtend meer mensen hoi tegen me zeggen dan anders,' zei Mads.

De eerste waarschuwingsbel ging. Holly deed haar kluisje dicht. 'Zullen we vóór de les nog even koffie halen?'

Ze liepen naar de kantine, waar op elk moment voor de middag-pauze koffie, thee en bagels verkocht werden. Rebecca Hulse stond bij de kassa melk in haar koffie te schenken.

'Hé, meiden,' riep ze naar Holly, Lina en Mads.

'Hoi, Beck,' zei Lina.

'Ik geef dit weekend een feestje,' zei Rebecca. 'Zaterdagavond. Niks bijzonders, maar jullie moeten echt komen. Er komen ook een paar stelletjes van jullie Dating Game, dan kunnen jullie zien hoe dat gaat.'

'Cool,' zei Holly, verbaasd dat Rebecca de moeite nam hen uit te nodigen. Niet dat ze hen ooit doelbewust had buitengesloten. Het was alleen niets voor haar om hen expliciet wél te vragen.

'Ja, voor onze research moeten we voortdurend naar feestjes toe,' zei Mads. 'Het is hard werken, maar iemand moet het nu eenmaal doen.'

'Hoor eens, ik heb de vragenlijst op jullie site ook ingevuld, maar jullie hebben me nog geen date bezorgd,' zei Rebecca. 'Wanneer ben ik aan de beurt?'

'Sorry, het kost tijd om het goed te doen,' zei Lina. 'Maar binnenkort zijn we aan jou toe.'

'Mooi,' zei Rebecca. 'Ik wil een slaaf, net als Ingrid. Mijn kamer is een puinhoop.' Ze liep weg.

Holly, Lina en Mads bleven de paar minuten die ze nog hadden voor hedendaagse geschiedenis begon, bij een tafeltje hangen.

'Hmm. Het ziet ernaar uit dat onze handigheid in dates regelen voor iedereen werkt behalve voor onszelf,' zei Holly. 'Ik heb niks van Jake gehoord. Heeft Walker jou nog gebeld, Lina?'

'Gisteravond,' bekende Lina.

'Waarom heb je dat niet verteld?' vroeg Mads.

Lina haalde haar schouders op. 'Het stelde niks voor. Hij wou iets afspreken voor dit weekend.'

'Wauw, hij heeft je de volgende dag gebeld,' zei Mads. 'Dan moet hij je echt leuk vinden. Wat gaan jullie doen?'

'Niks,' zei Lina. 'Ik heb gezegd dat ik al iets anders had.'

'Wat? Maar je hebt helemaal niks anders!' riep Mads.

Lina wist dat ze het niet zouden begrijpen. 'Ik voel gewoon helemaal niks. Waarom zou ik mezelf dwingen met hem uit te gaan als ik weet dat hij niet de ware is?'

'Omdat je niet weet of hij de ware niet is,' zei Holly. 'Je hebt hem niet eens een kans gegeven.'

'Dat weet ik wél.'

'Hoe nam hij het op?' vroeg Mads. 'Die afwijzing, bedoel ik.'

'Hij was heel aardig,' zei Lina.

Holly voelde een piepklein steekje jaloezie. Waarom had Jake haar nog niet gebeld? Wat had ze aan populariteit als iedereen haar aardig vond behalve híj?

9 Huidige stemming: ontploffing nabij

Aan: mad4u
Van: Elke dag je horoscoop

Dit is je horoscoop voor vandaag: Maagd: Geloof jij in wonderen? Dat hoop ik maar, want de tijd van tegenslag loopt op zijn einde. Geniet ervan zolang je kunt.

Vier uur later zat Mads aan de middentafel in de kantine op Lina en Holly te wachten. Sean en twee vrienden van hem, Alex Sipress en Mo Basri, kwamen binnen en gingen aan de tafel ernaast zitten. Ze had meteen geen trek meer.

'Man, waarom zijn jullie zaterdagavond niet naar Superscope gekomen?' vroeg Sean. 'Boardman en ik zijn een paar studentenchicks tegen het lijf gelopen, niet te geloven, zo sexy. Echt postapocalyptisch.'

'Wat krijgen we nou, probeer je intelligent te klinken voor die studentenmeisjes?' vroeg Alex. 'Bespaar jezelf vijf lettergrepen en zeg gewoon dat ze hot waren.'

Mads glimlachte. 'Postapocalyptisch'. Het woord beviel haar wel. Maar het klonk bekend. Ze had het pas nog ergens gezien of gehoord, precies zoals Sean het gebruikte. Maar waar?

Holly kwam bij haar zitten. 'Zal ik je wat vertellen, ik ben gek op meetkunde,' zei ze. 'Ik denk dat ik bij de SO vandaag alles goed heb ingevuld.'

Ingevuld... 'Dat is het!' Mads sprong op. Daar had ze dat woord gezien: in een van de vragenlijsten. En de kans was groot dat Sean degene was die 'postapocalyptisch' in zijn antwoorden had gebruikt. Ze had het woord nog nooit door iemand anders op die manier horen gebruiken, al verwachtte ze dat het nu elk moment een gangbare term kon worden.

'Ik ga naar de bibliotheek,' zei Mads. 'Tot straks.'

Ze liep er snel heen en ging aan een van de computers zitten om de vragenlijsten van de jongens door te zoeken tot ze het vond: 'Ik hou van alle soorten meisjes, maar vooral van meisjes waarvan ik helemaal van de kaart ben, die, zeg maar, echt postapocalyptisch zijn.'

Naam van de jongen: 'p_diddy'. Natuurlijk. Net als Sean 'P. Diddy' Combs. Sean! Het moest Sean zijn!

Nu had ze hem. Dit keer zou hij niet ontsnappen.

> **mad4u:** regel jij het maar, holly. ik wil niet dat hij denkt dat ik achter hem aan zit. ik wil dat hij denkt dat jij onze vragenlijsten hebt vergeleken en tot de conclusie bent gekomen dat ik van alle meisjes op de hele school het best bij hem pas. op grond van wetenschappelijk bewijs en dat soort dingen.
>
> **hollygolitely:** oké. ik zal zeggen dat hij je moet mailen om af te spreken.
>
> **mad4u:** bedankt, h. ik hoop dat hij meteen mailt. ik ben zo opgewonden!

Mads zette MSN uit en probeerde haar huiswerk te doen. Beneden klonk zielig gejank van een hond. M.C. was met een van haar patiënten bezig, een dobermann met scheidingsangst.

Mads maakte haar Spaans en controleerde toen haar e-mail. Niets. Ze ging weer op MSN.

> **mad4u:** heb je hem al gemaild?
>
> **hollygolitely:** ja, een uur geleden. relax, misschien leest hij het niet meteen.

Mads probeerde in haar geschiedenisboek te lezen. Dat was on-mogelijk. Elke vijf minuten controleerde ze haar mail.

Eindelijk, vlak voor ze naar bed wilde gaan, kwam er iets.

Aan: mad4u
Van: p_diddy
Re: date?

Een chick van die dating game site heeft mij aan jou gekoppeld. zin? Spreken we zaterdagavond in de Pinetop af? Ik bedoel, dan maar meteen, toch?

De Pinetop! Wauw. Zaterdagavond… dan zou ze Rebecca's feestje moeten missen. Ach. Dit was veel beter dan zo'n tam feestje. Met Sean Benedetto naar de Pinetop Lounge!

De Pinetop was een beruchte oude bar die bekendstond om zijn antieke jukebox en zijn soepele toegangsbeleid. Mads had op school oudere leerlingen er wel eens over horen praten. Holly's zusje Piper ging er vroeger altijd heen. Je leeftijd werd er haast nooit gecontroleerd. Toch wist Mads best dat ze eerder twaalf dan eenentwintig leek, en dat zou zelfs de Pinetop wel eens te ver kunnen gaan. Ze moest een nep identiteitsbewijs hebben, nu meteen. Het werd trouwens toch tijd om er eentje aan te schaffen.

Ze mailde Sean terug:

Pinetop is oké. 8 uur?

Zaterdagavond 8 uur. Tot dan. Hoe herken ik je?

Ik herken jou wel, wilde ze mailen, maar dat leek haar niet zo'n goed idee. Daarom schreef ze:

Ik heb steil zwart haar. Je hebt me vast wel eens op school zien rondlopen.

Daarna stuurde ze Holly een mailtje.

SOS – Ik moet een nep ID hebben! Nu!
Kan Piper iets regelen? Ik heb een afspraak voor mijn allereerste date met SEAN BENEDETTO!!!!

10 Nachtmerrie in de Pinetop Lounge

Aan: mad4u
Van: Elke dag je horoscoop

Dit is je horoscoop voor vandaag: Maagd: Je hebt sterke idealen, Maagd, en dat is prima. Maar kijk uit: de werkelijkheid kan je elk moment in je billen knijpen.

Mads' gordel was nauwelijks in staat haar op haar plaats te houden terwijl M.C. de Volvo door de heuvels naar Ridgewood Road reed. De Pinetop Lounge stond aan het einde van een achterafstraatje met een paar bedrijven, een benzinestation, een oude supermarkt, een delicatessenwinkel en Prescott's Pizza Shop.

'Daar is het, mam,' zei Mads. 'Prescott's.'

M.C. reed de parkeerplaats op. Enkele deuren verder draaide de Pinetop op volle toeren.

'Weet je zeker dat je die jongen hier zou treffen?' vroeg M.C.

'Ja, echt, mam,' zei Mads. Ze had tegen M.C. gezegd dat ze met Sean had afgesproken pizza te gaan eten. M.C. was in veel opzichten heel ruimdenkend. Ze geloofde in mensenrechten en vrijheid voor alle mensen overal op aarde en alle soorten dieren. Maar als het om haar eigen dochter ging waren bepaalde rechten niet van toepassing. Dat gold ook voor het recht om op vijftienjarige leeftijd met een jongen naar een bar te gaan. Mads had geprobeerd aan te voeren dat ze door de regels van haar ouders een politieke gevangene werd, maar daar trapten ze niet in.

'Is hij er al?' vroeg M.C. Ze keek om zich heen. Voor Prescott's stonden twee auto's geparkeerd, en binnen bij de toonbank stonden een paar mensen. 'Ik denk dat ik maar bij je blijf wachten tot hij er is. Om zeker te weten dat het allemaal goed gaat.'

'Nee, mam!' riep Mads. 'Ik wil niet dat hij denkt dat ik mijn moeder nodig heb om me overal heen te brengen.'

'Maar je bent nog niet oud genoeg om zelf te rijden! Hoe denkt hij dan eigenlijk dat je hier gekomen bent?'

'Toe nou, mam. Kijk, ik heb mijn mobieltje bij me.' Ze maakte haar tas open en liet haar nieuwe mobieltje even zien om het te bewijzen. 'Als hij niet komt opdagen of er iets anders mis gaat, dan bel ik je. Dat beloof ik.'

'Goed dan,' zei M.C. 'Maar bel me zodra hij er is. Als ik over een kwartier nog niets heb gehoord, bel ik jou. En als je niet opneemt, kom ik meteen terug.'

'Bedankt, mam.' Mads deed het portier open en kon eindelijk uitstappen.

'Om twaalf uur thuis zijn!' riep M.C. haar na.

Mads liep Prescott's binnen en keek haar moeder na toen ze wegreed. Toen ging ze het toilet binnen, deed lippenstift op en liep naar de Pinetop.

De jeep was nog nergens te zien. Ze besloot buiten op Sean te wachten. Het begon te miezeren, zodat ze maar onder de luifel van de Pinetop ging staan.

Na enkele minuten stopte er een zwarte jeep en Sean stapte uit. In het licht van de straatlantaarn zag Mads hem zijn haar uitschudden, zijn sleutels in zijn zak stoppen en in de richting van de deur lopen. Ze ging er zo voor staan dat hij haar niet over het hoofd kon zien.

'Hoi,' zei hij terwijl hij langs haar heen naar de deurknop reikte. Ze versperde hem de weg.

'Hoi,' zei ze. 'Heb je hier met iemand afgesproken?'

Hij bleef staan en nam haar met zijn ogen half dichtgeknepen op. 'Ja, klopt, maar...'

'Is je screennaam "p_diddy"?' vroeg Mads.

Zijn mond viel open. 'Ben jij "mad4u"?'

'Dat ben ik. Mijn echte naam is Madison.'

Hij staarde haar met open mond wel drie seconden lang aan. 'Ben jij mijn date?'

'Ja.'

'Maar je bent nog maar een kind!'

Mads begon in paniek te raken. Hij maakte geen geintje. Hij leek echt geschokt en absoluut niet blij haar te zien.

'Nietes, niet waar!' riep ze. 'Ik zit in de tiende! Ik ben vijftien!'

'Serieus?' Hij ging een stap achteruit en veegde zijn haar uit zijn ogen. 'Zo oud zie je er niet uit.'

'Maar ik ben het wel, dat zweer ik,' zei ze. Ze pakte haar portemonnee, waar haar gloednieuwe valse identiteitsbewijs in zat. Holly's zusje Piper had gezorgd dat ze er alle drie een kregen. 'Wil je mijn identiteitsbewijs zien? Nou ja, eigenlijk staat daarop dat ik eenentwintig ben, en dat ben ik niet, maar mijn foto zit erop!'

Sean lachte maar wat. 'Hoor eens, ukkie,' zei hij. 'Je bent best lief, hoor, maar je bent een beetje te jong voor me.'

'Waarom geef je me niet gewoon een kans?' smeekte Mads. 'Ik bedoel, we zijn hier nu toch. Kunnen we niet gewoon naar binnen gaan om wat te praten? Wie weet als je me wat beter leert kennen…'

'Oké, oké, rustig maar.' Hij leek er happig op uit de regen te zijn. 'Kom op, we gaan naar binnen.'

Hij opende de deur en liet haar voorgaan. Binnen was het donker, maar toen haar ogen eraan gewend waren zag Mads een oude, gehavende houten bar, een houten vloer vol brandplekken van sigaretten, overal neon bierreclames, een jukebox en achterin een pooltafel. Highschoolleerlingen – sommige herkende ze en andere niet – zaten in groepjes aan de bar en om een paar wankele tafeltjes. Twee zwaarlijvige mannen van in de vijftig claimden het ene uiteinde van de bar als hun territorium. De jongeren bleven bij hen uit de buurt.

'Daar is de S-man!' riep een jongen aan de bar naar Sean. Hij stond te praten met twee meisjes die op een barkruk zaten. Mads herkende hen niet. Ze zagen er wat ouder uit, alsof ze al studenten konden zijn.

'Hé, Rich, ik dacht al dat jij wel eens hier zou kunnen zijn.' Sean gaf Rich een high-five en ze deden een soort pseudo-hiphopbegroeting. Toen ging Sean een stap opzij en botste tegen Mads aan. 'O, dit is, eh… hoe heet je ook weer?'

'Madison,' zei ze. 'Madison Markowitz.'

'Madison.' Sean knikte. 'Eerst eens wat te drinken bestellen. Wat wil je hebben?'

Mads aarzelde. Bij Holly thuis dronk ze wel eens wijn en op feestjes bier, maar dat was het wel zo'n beetje. Toen ze rondkeek zag ze dat de meeste mensen in de bar bier dronken.

'Een Rolling Rock graag,' zei ze.

'Mooi.' Sean wenkte de barkeeper, een magere jongeman met een dun snorretje. 'Een Rolling Rock en een Anchor Steam.'

De barkeeper keek naar Mads. 'Eh, hoe oud is zij?'

Sean gaf geen antwoord, maar keek alleen even naar haar om. 'Ik ben eenentwintig,' zei ze met een niet-overtuigend piepstemmetje.

'O ja? Laat je identiteitsbewijs maar eens even zien.'

'Wauw, ze controleren hier nooit iemand,' fluisterde Rich tegen de meisjes. Mads zocht in haar portemonnee en gaf de barkeeper haar kaart. Hierzo! Hij hield hem onder het licht boven de kassa. Toen grinnikte hij en gaf hem terug. 'Uitgesloten dat jij eenentwintig bent. Toch leuk geprobeerd. Sorry, man, maar ze mag niet blijven.'

Mag niet blijven? Nee! Wat had je aan een nep-ID als niemand het geloofde?

'En als ik nou gewoon cola of zo neem?' vroeg ze. 'Ik zal geen alcohol drinken.'

'Geen minderjarigen toegestaan. Ik mag je nog niet eens water geven.'

'Meen je dat nou?' Sean veegde gefrustreerd zijn haar achterover.

'Dat is balen, man.'

'Zorg dat ze hier wegkomt en doe verder niet moeilijk,' zei de barkeeper.

'Kom op, ukkie.' Sean beende naar de deur. Mads liep achter hem aan.

'Wat doen we nou?' vroeg ze.

'Wat hebben we voor keus? Jij gaat naar huis, dat gaan we doen.'

'Maar onze date dan?'

'Hoe kan ik nou uit met een meisje dat nog niet eens de Pinetop in mag? Ik kom hier al vanaf mijn dertiende!' Hij schuifelde en stampte met zijn voeten. 'Ik kan niet met je daten als ik je niet mee uit kan nemen, of wel soms?'

We zouden ergens anders heen kunnen gaan, voor mijn part naar Prescott's, dacht Mads verdrietig, maar dat zei ze niet hardop. Hij wilde doen waar hij zelf zin in had, en daarbij liep zij alleen maar in de weg. Ze kromp inwendig in elkaar toen ze bedacht wat ze had gevoeld toen Getver Gilbert voor hun date kwam opdagen. Dacht Sean nu net zo over haar?

'Weet je moeder dat je hier bent?' vroeg Sean.

'Mijn moeder!' riep Mads verontwaardigd. 'Die maakt het niks uit wat ik doe. Ze is drugdealer.' Ze wist zelf niet waarom ze loog. Het kwam vanzelf uit haar mond.

Sean lachte. 'Jouw moeder, een drugdealer? Daar geloof ik niks van.'

'Oké, geen drugdealer. Ik loog alleen omdat ik niet wilde zeggen hoe het echt zit. Mijn moeder is ervandoor gegaan om stripper te worden. En mijn vader is pooier. Eigenlijk ben ik een wees.'

'Hou toch op,' zei Sean. 'Je bent best grappig, maar je bent nog steeds te jong voor me.'

'Ik snap het niet,' zei Mads. 'Van de herfst ben je met Lulu Ramos uit geweest. Die is net zo oud als ik. Ze zit bij mij in de klas!'

'Echt waar?' Hij keek verbaasd, alsof Lulu Ramos en zij niet eens van dezelfde planeet afkomstig konden zijn. Maar Lulu had dan ook altijd massa's make-up op, en ze werd altijd naar huis gestuurd omdat ze zich niet aan de kledingvoorschriften hield (een bloot middenrif, diepe decolletés, microminirokjes en lakleren catsuits waren op Rosewood niet toegestaan), en tegenover jongens was ze heel zelfverzekerd. 'Dat was iets anders. Lulu lijkt veel ouder dan jij. Ze is, eh, ervarener. Misschien komt het doordat haar moeder een Aerosmith-groupie is geweest, ik weet niet...'

Mads zag het niet meer zitten. Dit werd niets, in elk geval niet meer voor deze avond. Ze wist wanneer ze verslagen was.

'Hoor eens, het is heus niks persoonlijks,' zei Sean. 'Ik bewijs je er alleen maar een dienst mee, neem dat maar van mij aan. Dus waar staat je auto? Dan breng ik je erheen.'

Gadver. De ultieme afgang. 'Ik heb geen auto. Ik mag nog niet rijden.'

'O. Maar eh, hoe moet je dan thuiskomen?'

'Ik... ik denk dat ik maar iemand bel om me op te halen.' Op dat moment begon Mads' telefoon te bliepen. Het was M.C., die wilde horen of alles goedging. Mads ging een paar stappen bij Sean vandaan zodat hij haar niet kon verstaan. Misschien zou hij erachter komen dat ze door haar moeder werd opgehaald, maar hij zou niet horen dat zij daarom vroeg.

'Sorry, mam, kun je terugkomen om me te halen?' vroeg Mads, een paar tranen wegslikkend.

'Natuurlijk, liefje. Is alles in orde?'

'Ja hoor. Maar Sean belde op het laatste moment om te zeggen dat hij niet kon komen. We maken een nieuwe afspraak.'

'Ik kom eraan.'

'Eh, ik moet bij Prescott's op haar wachten,' zei ze tegen Sean. 'Ze heeft niet graag dat ik in een bar kom.'

'Ik loop wel mee om je gezelschap te houden,' zei hij.

Ze gingen aan een picknicktafel onder de gele plastic luifel zitten en keken naar de auto's die in de motregen voorbijzoefden. Mads hoopte dat ze onder het wachten tenminste nog even met elkaar zouden kunnen praten, maar Seans mobieltje ging. Hij nam op en begon een gesprek met zijn vriend Alex. Mads zat erbij en luisterde. 'Het is vanavond nogal rustig in de Pinetop, man,' zei Sean 'Maar ik zou toch maar langskomen. Die leuke meid uit Mill Valley is er...'

Mads' moeder reed voor, met zwiepende ruitenwissers. 'Is ze dat?' vroeg Sean. 'De drugdealende stripper?'

'Ja. Bedankt, Sean. Tot kijk.'

'Tot kijk.' Hij knikte door het raampje naar M.C. Mads stond op, rende naar de auto en stapte in. M.C. had de radio aan, jaren-zeventig-popmuziek.

'Wie is die jongen?' vroeg ze. 'Ik dacht dat Sean niet was komen opdagen.'

'Dat is gewoon een vriend van me van school,' zei Mads. 'Kunnen we nu naar huis?'

M.C. keek haar eens goed aan. 'Is alles in orde, liefje? Ben je teleurgesteld over je afspraakje?'

Mads probeerde haar gezicht onbewogen te houden. Ze voelde er niets voor om in te storten waar haar moeder bij was. Dan zou ze zich pas echt kapot schamen.

'Liefje?'

'Nee, mam,' snauwde ze. 'Ga nou niet zo klef doen. Kunnen we alsjeblieft naar huis?'

'Sorry. Sorry. Sorry.' M.C. ging een stukje achteruit en reed de straat op, naar huis. Mads keek om. Sean was alweer in de bar verdwenen.

linaonme: hij had ergens anders met je heen moeten gaan. ergens waar het voor jou niet illegaal is om er binnen te komen.

hollygolitely: hij is een klootzak.

mad4u: niet waar! ik hou van hem. ook al is hij een kloot-zak. maar hij vergist zich in me. ik ben niet te jong voor hem!

linaonme: goed zo! vecht jij maar voor hem!

mad4u: weet je wat het probleem is? ik ben niet ervaren genoeg. dat is het! dat ziet hij aan mijn gezicht! hij kan zien dat ik nog maagd ben!

hollygolitely: nou schat je hem volgens mij toch te hoog in.

mad4u: nee. de vragenlijst is het bewijs. iedereen op school heeft veel meer ervaring dan ik. nu ben ik aan de beurt. ik zal sean wel eens laten zien dat ik geen klein kind meer ben. ik ben een rijpe, sensuele vrouw. tenminste, dat word ik, zodra ik een beetje ervaring heb. dan kun je dat aan mijn gezicht zien. ja toch?

linaonme: briljant plan mads. werkt gegarandeerd.

hollygolitely: het is volkomen geschift.

mad4u: spelbrekers. wacht maar af. ik word een vrouw, en dan kan sean me niet meer weerstaan. de enige vraag is: hoe pak ik dat aan?

Mads logde in bij de chatroom van de Dating Game, onder de gebruikersnaam snow_white.

snow_white: rsaob-leerlingen! ik heb jullie hulp nodig. ik ben een meisje van 15 en ik ben nog maagd! ik zit te springen om ervaring, nu meteen! wat is de beste manier om het met een jongen aan te leggen?

r2d2: als je eens gewoon naakt ging rondlopen?

digger90: wie ben je? ik help je wel van je probleempje af.

simsfan2: ik weet een geheim drankje waardoor elke jongen verliefd op je wordt. mix granaatappelsap met 3

kruidnagels, een snufje nootmuskaat en 3 haren van
een birmaanse kat. verhitten op het fornuis. erin
spugen. mix voor gelatinepudding erbij doen. alleen
frambozensmaak. 3 dagen in de koelkast. op de 3de
dag deze toverspreuk erboven uitspreken:
hiema hama hiema hama. aan je slachtoffer
voorzetten. hij wordt je liefdesslaaf.

digger90: wat mankeer jij, ben je soms lelijk?

tanaquil: ga naar de jongen die je leuk vindt en lik zijn hand.
dat is een dierensignaal. zo komen zijn dierlijke
driften boven, maar hij weet zelf niet wat er met
hem gebeurt.

roto: bel hem 's avonds laat op en hijg in de telefoon.
niet meteen zeggen wie je bent. dan slaat zijn
fantasie op hol en dan móét hij je hebben.

breaker19: trek zo'n superlage jeans en een heel klein topje
aan. dan is het vast zo gebeurd.

redmenace: zoek een jongen uit die echt wanhopig
is, sluit je ogen, hou je neus dicht en denk aan
viggo mortensen.

digger90: gewoon eentje uitkiezen en je op hem storten.

Digger90 klonk eigenlijk nog het zinnigst van allemaal, dacht
Mads. Gewoon eentje uitkiezen en je op hem storten. Waarom
niet? Over minder dan een week was de ideale gelegenheid. Mariska Frasiers feestje zaterdagavond. Het stelde niet veel voor,
Mariska zat in de tiende klas, dus Sean zou alleen komen opdagen
als hij die avond niets beters te doen had. Maar het was een goede
kans om eens wat van dat advies uit te proberen.

11 Verliefd op de leraar

Aan: linaonme
Van: Elke dag je horoscoop

Dit is je horoscoop voor vandaag: Kreeft: Het slechte nieuws: vandaag bereik je een nieuw dieptepunt. Het goede nieuws: je kunt altijd
nog dieper zinken – maar dat gebeurt pas over een paar weken.

'Goed, Karl, laat jouw nieuwste voorstel maar eens horen.' Dan
leunde tegen de voorzijde van zijn tafel en had zijn geduldigste
gezicht opgezet, maar Lina kon zien dat het hem moeite kostte.
Karl Levine was er nog steeds niet uit wat voor IMO-project hij zou
gaan doen. Tot nog toe had Dan al zijn ideeën verworpen, en met
reden: ze waren allemaal stom, en de meeste nog illegaal ook. Zijn
zusje bespioneren in de badkamer, een camera in de meisjes-
kleedkamer installeren, proberen een date te krijgen met zijn
moeders manicure. Lina had medelijden met Dan, omdat hij moest
doen alsof hij zoveel stomheid kon verdragen. En tegelijkertijd
bewonderde ze hem omdat hij zijn kalmte bewaarde.

Karl stond op en schraapte zijn keel. 'Oké, dit is mijn voorstel.
Ik koop in een seksshop zo'n opblaaspop. Friendly Fanny heet ze.
Ik zet haar naast me voor in de auto en rijd tijdens het spitsuur over
de snelweg, op de carpoolstrook. Je weet wel, waar je alleen op
mag als je met minstens twee personen in de auto zit, omdat je
anders een bekeuring krijgt? En dan kijk ik of dat me lukt.'

Met een zelfvoldane grijns op zijn gezicht ging hij weer zitten.
Die schaamde zich echt nergens voor.

Dan keek even of het hem te veel werd. Zuchtend ging hij rechtop staan. Hij keerde de klas de rug toe en wreef over zijn slapen.
Toen hij zich weer omdraaide stond zijn gezicht beheerst. 'Sorry,

Karl. Afgewezen. Hoor eens, vergeet dat gespioneer en die opblaas-pop nou maar en bedenk een echt onderwerp voor een project. Als je hulp wilt hebben, kom je na de les maar bij me. Maar doe het wel gauw. Aanstaande vrijdag moet je echt iets hebben, als je tenminste niet het risico wilt lopen een onvoldoende voor dit vak te krijgen.'

Lina was blij Dan eens flink tegen Karl te zien optreden, dat werd tijd. Het eerste semester was hij een en al glimlach en vrien-den-onder-elkaar geweest, maar dat scheen hij dit semester te moeten bezuren. Er zat een nieuwe rimpel in zijn voorhoofd. Lina maakte zich zorgen om hem. Hij was gespannen.

Dan keek even op een vel papier op zijn tafel. 'Oké, hoe staat het met Grupo Ocho? Ramona, Chandra, Siobhan en Maggie.'

Lina zette zich schrap. Ramona's groep deed een project over mode en het gebruik van kleren om seksuele signalen uit te zen-den, maar ze waren een beetje afgedwaald. Het kwam erop neer dat ze keken naar wat mensen in diverse cliques droegen en hen dan afkraakten.

Ramona las van haar papier voor. 'Deze week heeft Grupo Ocho ontdekt dat de populairste meisjes op school allemaal her-senloze meelopers zijn. Bijvoorbeeld: als een meisje dat niet in hun groep zit iets nieuws probeert op modegebied – dat wil zeggen, iets nieuws en experimenteels draagt, zoals een oorbel die van het bloederige melktandje van haar kleine zusje is gemaakt – dan negeren de populaire meisjes dat. Maar als hun eigen aanvoerster iets draagt wat net zo ongebruikelijk is...'

Of net zo smerig, dacht Lina.

'...een armband van veiligheidsspelden bijvoorbeeld, dan doen al haar vriendinnen haar meteen na. Conclusie: het doet er niet toe wat je draagt. Wat ertoe doet is wíé het draagt.'

Oei, diepzinnig, hoor, schreef Holly in de kantlijn van Lina's schrift.

'Eh, oké, goed,' zei Dan. 'Ik heb een suggestie, Grupo Ocho.

Jullie project zou er enorm bij winnen als er tekeningen of foto's bij zaten. Dan kan iedereen de modevoorbeelden waarover jullie het in jullie verslag hebben, zelf zien. Wat vinden jullie daarvan?'

'Wat een briljant idee, Dan,' zei Ramona. 'Dat gaan we beslist doen.' Ze keek hem stralend aan. Net als haar vriendinnen, maar Ramona had het duidelijk het ergst te pakken. Lina werd er misselijk van.

Mads trok een gek gezicht tegen haar, met getuite lippen deed ze na hoe Ramona zat te slijmen. Lina vond het wel grappig, maar toch kon ze er niet om lachen. Als ze naar Ramona keek was het net of ze zichzelf in de lachspiegel op de kermis zag: een vervorming van wat ze zelf voor Dan voelde. Maar dat vervormde beeld bevatte nog steeds waarheid. Lina en Ramona verschilden totaal van stijl, maar vanbinnen waren ze hetzelfde: ze hielden allebei van Dan. En daar werd Lina gek van.

Aan het eind van de schooldag deed Lina haar fiets van het slot en reed de parkeerplaats over. Toen ze moest stoppen voor een langsrijdende auto keek ze om. Dan zat op zijn hurken bij het fietsenrek om zijn fiets van het slot te doen. Hij ging vroeger van school weg dan anders. Lina was benieuwd waar hij heen ging. Naar huis? Boodschappen doen?

Hij zette zijn helm op en reed de andere kant op, het pad naar de ingang van de school af. Lina dacht niet verder na. Ze reed hem gewoon achterna.

Het was makkelijk. Hij keek niet één keer om. Ze bleef een stuk achter hem terwijl hij Rosewood Avenue af reed in de richting van het water. De heuvel af, rechtsaf Rutgers Street in naar een café aan zee dat de Bayside heette. Langs het water liep een grijze verweerde wandelpromenade met bankjes, die het café van de pieren scheidde.

Voor het café zette Dan zijn fiets op slot. Hij keek de veranda buiten langs en zwaaide naar een knappe vrouw met donker haar, die in haar eentje aan een tafeltje onder de terrasverwarming zat. Hij sprong in drie stappen het trapje op en ging bij haar zitten.

Lina liep met haar fiets aan de hand naar een bankje tegenover het café. Ze zette de fiets ertegenaan en ging zitten. Ze maakte zichzelf wijs dat ze moe was van dat kwartier fietsen van school naar de kust, maar ze wist dat dat onzin was. Nu ze eenmaal aan het spioneren was, moest ze doorzetten. Wie was die vrouw? Zijn vriendin? Een date? Zijn zusje? Gewoon een kennis?

Ze zocht in haar rugzak naar haar zonnebril en zette die op in de hoop dat ze zo voldoende vermomd was om niet door hem opgemerkt te worden. Niet dat dat risico erg groot leek. Sinds hij was gaan zitten, had hij zijn blik nauwelijks van dat donkerharige meisje afgewend.

Lina nam haar aandachtig op. Zijn zusje was ze beslist niet. Ze was ongeveer even oud als hij, drie- of vierentwintig, en haar bijna zwarte haar reikte net tot haar sleutelbeen, dik en glanzend met een lichte slag. Ze had een crèmekleurige sweater om haar schouders en een grote, donkere, duur uitziende zonnebril boven op haar hoofd. Op haar gemak en zelfverzekerd zat ze in haar rotan stoel ontspannen te praten. Dan leunde naar voren, hij luisterde aandachtig en knikte erbij.

Lina wilde dat ze dichterbij kon komen om te horen wat ze zeiden. Zou ze proberen een tafeltje in het café te vinden? Nee, dan zou hij haar beslist opmerken en zich niet op zijn gemak voelen.

De vrouw stond op. Ze tilde een grote leren tas op en liep het café in. Zeker naar de wc. Daarbij ving Lina een glimp van haar hele outfit op: een crèmekleurige jersey tanktop die bij haar sweater paste, die ze nu over de tanktop heen aantrok, een dikke gouden ketting, een nette witte broek en sandalen met hoge hakken. Voorzover Lina kon zien leek het allemaal even duur, en Lina had verstand van dure kleren. Haar moeder had er een kast vol van.

Terwijl de vrouw weg was, keek Dan over het water uit. Lina stond op en liep met haar fiets aan de hand weg, bang dat hij haar zou ontdekken. Ze ging naar een koffiekiosk en kocht een beker om mee te nemen. Toen ze weer bij haar gluurplaats op de bank kwam, was de vrouw terug van het toilet. Een ober zette drankjes voor hen neer.

Terwijl ze haar hete koffie dronk sloeg Lina hen gade. Nu scheen het gesprek niet zo goed meer te gaan. De vrouw zei niet meer zoveel als eerst. De ongemakkelijke stiltes tussen Dan en haar werden langer. Kon dit een eerste date zijn, of een blind date? Lina dacht terug aan haar eigen date, met Walker. Zo weinig op hun gemak als Dan en die vrouw erbij zaten, dat kwam haar maar al te bekend voor.

Er flapperde iets links van haar, een sliert zwarte stof. Toen ze omkeek zag ze het bleke gezicht van Ramona vlakbij, weggedoken onder een zwarte cape. Lina liet bijna haar koffie vallen. Ze was betrapt! Nee, ze zou het ontkennen. Het was niet verboden om op vrijdagmiddag op een bankje aan de baai koffie te zitten drinken.

'Weer aan het spioneren?' vroeg Ramona spottend.

'Wat doe jij hier?' vroeg Lina.

'Ik verberg me al een poosje achter de krantenkiosk. Als ik zo open en bloot ergens ging zitten als jij, zou Dan me zeker zien. Ik val natuurlijk meer op dan jij.'

Ja, maar niet op een goede manier, dacht Lina.

'En jij dan?' vroeg ze. 'Ben jíj aan het spioneren?'

'Ik zie het niet als spioneren,' zei Ramona. 'Als je zo van iemand houdt als ik, zo volledig en volkomen, dan ben je niet aansprakelijk voor wat je doet, want dan is het allemaal ten dienste van de hoogste menselijke aspiraties: oprecht geestelijk contact.'

Lina rolde met haar ogen. Ramona kwam naast haar zitten. 'Ben je niet bang dat hij je ziet?' vroeg Lina.

'Niet meer. Hij gaat totaal in die meid op. Gelukkig voor mij ziet zij hem minder zitten. Gelukkig voor ons, bedoel ik.' Ze keek veelbetekenend naar Lina, die in elkaar kromp. Ze kon niet ontkennen dat die gedachte ook bij haar was opgekomen.

'Kijk, ze gaat weg,' zei Lina toen de vrouw opstond en haar tas pakte. Dan kwam beleefd overeind. Ze gaf hem een hand. Niet eens een kusje op de wang.

'Ze laat hem de rekening betalen,' merkte Ramona op.

De vrouw beende het trapje af en liep naar het pad langs het water, waar de meisjes naar haar zaten te kijken. Ze wierp een smalende blik op Dans fiets, de enige in het fietsenrek naast het trapje.

'Oppervlakkige bitch,' sputterde Ramona. Daar moest Lina het wel mee eens zijn.

De vrouw liep om naar een parkeerplaats naast het café. Ze drukte op haar sleutelring – haar autoalarm piepte toen het werd uitgeschakeld – stapte in een Mercedes cabriolet en reed weg.

Dan bleef in zijn eentje op het terras zitten. Hij rinkelde met het ijs in zijn glas en zoog aan zijn rietje. Hij zag er eenzaam uit.

Lina had medelijden met hem. Hoe kon die vrouw hem zo kwetsen? Ze wilde naar hem toe rennen en zeggen: 'Je hebt haar niet nodig! Ze is niet goed genoeg voor je!'

De ober bracht Dan de rekening. Hij legde wat geld op tafel en maakte aanstalten om weg te gaan.

'We kunnen beter gaan, voor hij ons ziet,' zei Ramona. 'Kom mee, naar de kiosk.'

Lina nam haar fiets mee en verborg zich met Ramona achter de krantenkiosk. Ze gluurden om een hoekje om toe te kijken terwijl Dan zijn helm opzette, zijn fiets van het slot deed en wegreed.

Lina wilde dat ze hem naar huis kon volgen, om te zien waar hij woonde, maar dat deed ze niet zolang Ramona erbij was.

Een andere keer misschien...

12 Het mannelijk brein is immuun voor logica

Aan: hollygolitely; linaonme; mad4u
Van: Elke dag je horoscoop

Dit is je horoscoop voor vandaag: Maansverduistering! Dit is zo'n ingrijpend astrologisch verschijnsel dat alle tekens in de dierenriem erdoor worden beïnvloed. Verhoudingen verschuiven, geheimen worden onthuld, identiteiten veranderen. Ga vanavond uit! Als je thuis blijft mis je alle lol!

'Ik vind die nieuwe punklook van je wel leuk, Mads,' zei Holly in de auto op weg naar het huis van Mariska. 'Je ziet er zo compleet anders uit.'

Mads had grote klodders gel in haar haar gedaan om het piekerig te maken, haar make-up uitgesmeerd en gaten in haar T-shirt en panty gescheurd.

'Vanavond gaat het gebeuren,' zei ze. 'Ik ga mezelf een ruiger image bezorgen. Na vanavond loopt er hier in de stad een nieuwe Madison Markowitz rond. Wie aan mij denkt, denkt: bad girl.'

'We zouden je "Bad Mads" kunnen gaan noemen,' zei Holly. 'Of "Maddie the Baddie". Zou dat helpen?'

'Nee,' zei Mads.

Met zijn drieën kwamen ze om halfelf aan bij Mariska's feestje, toen het al in volle gang was. Claire en Ingrid hingen bij de deur naar de woonkamer rond, ze waren aan het roken. 'O, kan ik er een bietsen?' vroeg Mads. Bad girls rookten, dus dat moest zij ook doen.

Claire viste er een uit haar pakje. 'Weet je wel hoe duur deze zijn?' klaagde ze.

'Stuur me de rekening maar,' zei Mads. 'Bedankt, Claire.'

Ingrid gaf haar een vuurtje. Mads nam een trek. Oeps. De nicotine kwam in haar bloedstroom en landde met een misselijkmakende dreun in haar maag.

'Je wordt groen,' zei Ingrid.

'Geef hier.' Claire griste de sigaret uit Mads' hand. 'Jij rookt helemaal niet. Dit is pure verspilling!'

Opgelucht gaf Mads het ding terug. Dus ze was geen roker. Dan niet. Roken was niet het enige wat een bad girl kon doen.

'Heb je Jake al gezien?' vroeg Lina aan Holly.

'Nee,' zei Holly. 'Maar ik zie dat Karl Levine een meisje bij zich heeft.'

Karl zat op de bank in de woonkamer naast Friendly Fanny, de opblaaspop waar hij het bij IMO over had gehad. 'Dat is zeker het beste wat hij kan krijgen, voor een date,' zei Lina. 'Ze moeten er zijn,' voegde ze eraan toe, op Jake en Walker doelend. 'Walker zei dat hij zou komen.'

Holly zag ertegenop Jake te ontmoeten. Hun double date met Lina en Walker was nu twee weken geleden. Jake had niet gebeld. Als ze hem op school tegenkwam, zei hij hallo maar daar bleef het zo'n beetje bij. Het zat haar niet lekker. Maar misschien begreep ze het verkeerd. Wie kon zeggen wat een jongen dacht. Hun brein scheen totaal immuun voor logica te zijn.

Walker daarentegen had duidelijk laten merken dat hij Lina wel zag zitten, ook al zette hij haar niet onder druk. Hij had haar al twee keer gebeld. En het deed Lina niets! Dat zat Holly een beetje dwars. Ze probeerde er net zo luchtig over te doen als Lina. Waarom lukte dat haar niet?

'Wat is er met je vriendin Madison?' Sebastiano dook voor hen op, in strakke gestreepte jeans en een leren jack. Hij knikte naar Mads, die woest aan het dansen was vlak voor drie jongens die haar aanstaarden alsof ze een paar pillen op had. 'Doet ze Courtney Love na?'

'Ze wil haar image veranderen,' legde Holly uit.

'Hmm. Dan denk ik dat ik haar wel kan helpen,' zei Sebastiano. 'Daar weet ik de ideale figuur voor, hij helpt elke reputatie in no time om zeep, en hij is vanavond nog hier ook, komt dat even goed uit. Dashiell Piasecki.'

'Wie is dat?' vroeg Lina.

Sebastiano wees naar een vrij lange jongen aan de andere kant van de kamer. Hij had vierkante schouders en het jongensachtige conservatieve kapsel van een politicus. Zijn blauwe poloshirt zat netjes in zijn jeans-met-riem.

'Die jongen?' vroeg Lina. 'Die leek me altijd zo'n pietje precies.'

'Hij zit in de elfde,' vertelde Sebastiano. 'Hij mag er dan als een golfprof uitzien, maar ze zeggen dat hij een player is. Hij gaat achter alles aan wat beweegt, als het maar vrouwelijk is. En nog beter, hij kan zijn mond niet houden. Als Mads wil dat haar avontuurtje bekend wordt, moet ze bij Dash zijn.'

'Zo te zien heeft ze hem al in het vizier,' zei Holly. Aan de overkant van de kamer was Dash zich al voor haar aan het uitsloven en was Mads aan het giechelen.

Lina gaf Holly een por met haar elleboog. 'Hé, daar is Sean.' Hij liep vlak langs Mads en Dash de kamer door.

Mads voelde dat Sean er was zodra hij een voet over de drempel zette. Ze hield hem vanuit haar ooghoek in de gaten terwijl ze met Dash bleef praten en flirten. Kijk naar me, Sean, seinde ze naar hem. Deze jongen zit in de elfde en hij flirt met me. Hij vindt me niet te jong. Sean keek in het voorbijgaan even haar kant op, en keek toen nog eens goed. Yes! Hij zag haar! Hij herkende haar zelfs onder al dat woeste haar en die make-up. Maar het enige wat hij zei was: 'Hé, ukkie. Hoe gaat-ie?' Mads kon wel flauwvallen, ook al had ze het gevoel dat hij niet meer wist hoe ze heette.

Dat gaf niet. Tegen het eind van de avond zou ze wel naam hebben gemaakt, en die naam zou hij zeker onthouden.

'Hé,' zei Dash. 'Wil je een biertje? Ik haal er wel een voor je.'

Ze liep achter hem aan naar het vaatje op het terras achter het huis, waar hij twee royale glazen bier tapte. 'Drinken maar,' zei hij, en hij sloeg het zijne achterover.

'Ja, proost!' Mads nam een slokje.

'Jij bent een coole meid,' zei Dash. 'Dat zie ik zo.'

'Dank je.'

Hij schonk zichzelf nog eens in en vulde haar ook bij, al had ze er nog nauwelijks van gedronken.

'Ik wou dat ze eens lekkere wijn hadden op feestjes als dit,' klaagde Holly. Lina en zij waren de keuken aan het plunderen op zoek naar iets anders om te drinken dan bier.

Door de hordeur konden ze de stemmen horen van de mensen die op het terras om het biervat heen stonden. 'Ik heb kabel moeten nemen om Manchester United op ITN te kunnen kijken,' zei een zachte stem.

Holly greep Lina beet. 'Dat is Jake!' fluisterde ze. Zoals gewoonlijk over voetbal aan het praten.

'Wat is Manchester United?' vroeg een meisjesstem. 'Is dat een luchtvaartmaatschappij of zoiets?'

'Wat moet ik doen?' fluisterde Holly. 'Moet ik iets zeggen? Moet ik hem negeren? Wat moet ik doen?'

'Sst! Er komt iemand aan!' fluisterde Lina toen de hordeur piepend openging. Jake, twee andere jongens en een meisje kwamen met bier in hun hand de keuken in. Jake keek even in Holly's richting maar zei niets. Het meisje opende de koelkast en pakte een paar flesjes cola light. Toen liepen ze weer naar buiten en de tuin door naar het tuinhuisje bij het zwembad.

'Dat hou je toch niet voor mogelijk!' riep Lina. 'Hij liep gewoon langs zonder gedag te zeggen of zo!'

'Weet ik.' Holly's hart bonsde zwaar tegen haar borstbeen. Ze stond op het punt iets stoms te doen, en dat wist ze. En het ergste was dat ze het niet kon laten. De speurneus in haar moest het mysterie altijd oplossen. Jake deed raar en ze moest weten waarom.

'Hoi, meiden.' Walker kwam binnen, met een biertje in de hand. 'Hoe gaat het?'

Holly probeerde tegen hem te glimlachen, maar het kostte moeite. Zijn vriendelijkheid onderstreepte nog eens hoe koel Jake tegen haar deed.

'Hoi, Walker,' zei Lina. 'Hoor eens, weet jij soms wat Jake mankeert? Hij ziet ons niet staan. Au!'

Holly drukte Lina's teen fijn met de punt van haar schoen. Ze wilde niet dat Lina Walker vertelde wat er gebeurde. Ze wilde niet dat iemand het wist. Maar het was al te laat. Lina had het nu trouwens wel door, ze zou het er verder met niemand over hebben.

'Serieus? Wat raar,' zei Walker. 'Ik weet het niet. Ik ben niet echt met hem bevriend of zo…'

'Ik ga naar buiten, naar het tuinhuisje,' zei Holly.

'Ik ga mee,' zei Lina.

'Nee, blijf jij maar hier bij Walker,' zei Holly.

'Holly…'

'Ik meen het.'

Lina keek Holly na terwijl ze de achterdeur uit liep. Ze maakte zich zorgen om haar. Wat mankeerde Jake? Hoe kon hij Holly zo behandelen?

In het tuinhuisje was de sfeer heel anders dan binnen: luidruchtiger, donkerder, rokeriger. Er hingen een paar mensen bij het zwembad rond, maar het was een kille avond en de meesten zaten liever beschut in het huisje. Jake keek op toen Holly verscheen, maar keek meteen weer de andere kant op. Hij fluisterde iets tegen zijn vrienden. Een van de meisjes giechelde. Het liefst had Holly meteen rechtsomkeert gemaakt, maar ze bleef staan.

Ze hadden het over haar. Maar waarom? Ze had nauwelijks iets gedaan met Jake; er viel niets te vertellen over hun geflopte date van twee weken geleden. Maar waarom zou iemand zich daardoor laten weerhouden?

Ze stond in haar eentje bij de deur en vroeg zich af wat ze moest doen. Een paar mensen bewogen mee met een hiphop-cd. Drie jongens stonden tegen de houten betimmering geleund te praten en te lachen en haar kant op te kijken. Wat verwachtten ze van haar, een striptease? Dapper liep ze verder naar binnen alsof ze niet bang was voor hun stomme praatjes.

Sebastiano sloop met een sigaret in zijn hand op haar af. 'Hé, schoonheid.' Hij leidde haar naar een bank. 'Oké, de details van je blind date zijn geopenbaard. Maar als je kluisbuurman zou ik het echt op prijs stellen zulke dingen voortaan rechtstreeks van jou te horen, zodat ík degene kan zijn die ze doorvertelt.'

Holly bedwong haar zenuwen. 'Over wat voor details heb je het?'

'Je superhotte date met Jake natuurlijk. Die voorgevel van jou schijnt echt verbijsterend te zijn. Volgens Jake verdien je de titel Superboezembabe, elke centimeter ervan.' Hij maakte een halve buiging voor haar. Ze kon hem wel slaan.

'Eens kijken,' ging hij verder. 'Je hebt bij hem thuis naakt voor hem gedanst, en toen heb je hem besprongen en urenlang wild en hartstochtelijk met hem gevrijd. Hij moest je uiteindelijk aan je haren naar huis slepen, want je wist van geen ophouden...'

'Aan mijn haren?'

'Goed, goed, dat heb ik erbij bedacht,' gaf hij toe. 'Maar de rest is alleen maar wat er verteld wordt.'

Holly kon niet geloven dat Jake dat allemaal zei. Er zat niet eens een kern van waarheid in! Ze was helemaal niet bij hem thuis geweest, ze waren bij Walker, en het enige wat ze hadden gedaan was een beetje zoenen. En daar had hij niets van terechtgebracht!

Ze snapte er niets van. Wat wilde hij nou, het eruit laten zien of hij haar had gebruikt en daarna had laten vallen? Dacht hij zo zelf een goede indruk te maken of zo? Schaamde hij zich omdat er tijdens hun date niets was gebeurd? Dat was zijn eigen schuld!

Ze zou jongens nooit begrijpen.

Er liepen twee meisjes langs, met de hoofden dicht bij elkaar. 'Wie is het?' vroeg het ene meisje aan het andere terwijl ze Holly's knieën zo'n beetje schampten.

'Sst! Ze is hier ergens!' fluisterde de ander, zo hard dat Holly het kon verstaan. Giechelend liepen ze gauw verder.

'Jake probeert van jouw reputatie te profiteren om er zelf eentje op te bouwen,' zei Sebastiano. 'Oeroude truc. Dat gaat zich natuurlijk tegen hem keren zodra ik jouw kant van het verhaal ga verspreiden. Maar ik moet je waarschuwen, het kan best dat ze daar niet aan willen. Niet dat die niet geloofwaardig is. Hij is alleen veel minder leuk om over te praten.'

'Kan mij het schelen.' Holly begon zich onbehaaglijk te voelen, het rokerige, lawaaiige, volle tuinhuisje benauwde haar. 'Ik heb lucht nodig.'

Ze hees zichzelf van de bank en ging naar buiten. Daar ging ze op een bankje bij het zwembad zitten en had spijt dat ze haar jasje niet bij zich had.

Ze wist dat er met twee maten werd gemeten, dat het voor jongens goed maar voor meisjes slecht was om een wilde reputatie te hebben. Maar waarom kon Jake niet gewoon met haar gaan, in plaats van dingen te verzinnen? Was hij bang voor haar? En toen begreep ze het. Als ze vaste verkering met hem had – als ze zijn vriendin was – dan zou ze geen slet meer zijn. En dan zou Jake geen stoere vent zijn, maar gewoon een jongen met een vriendin. En daar zou hij nog wel niet aan toe zijn, aan een vriendin.

Rob Safran, een van de jongens die ze in het tuinhuisje had zien zitten, kwam aanlopen en ging naast haar op het bankje zitten. 'Hé,' zei hij. 'Alles goed met je?'

Verbaasd keek ze naar hem op. Ze wist wie hij was, ze zaten allebei in de Commissie Dienstverlening door Scholieren, samen met een stuk of honderd anderen. Ze had hem nooit veel aandacht geschonken, maar nu ze hem aankeek zag ze dat hij best leuk was. Zijn dikke, slordige bruine haar stak alle kanten op alsof hij het zelf had geknipt. Hij had bruine ogen en brede jukbeenderen waardoor hij er streng zou hebben uitgezien als ze niet onder de sproeten hadden gezeten, waardoor hij er lief en jongensachtig uitzag.

Maar wat kwam hij hier doen? Haar voelsprieten schoten achterdochtig omhoog. Kwam hij haar pesten? Kwellen? Een of ander geintje uithalen? Tijd om weer de stoere meid te spelen.

Hij keek haar aan. 'Je had nogal haast om het tuinhuisje uit te komen.'

'Niks aan de hand,' zei ze. 'Ik had alleen wat frisse lucht nodig. En dat nummer van Nelly ging me op de zenuwen werken. Als ik dat nog één keer hoor ga ik gillen.'

'Ja, een of andere junk bleef maar op repeat drukken,' zei Rob. 'Jij bent toch een van de meisjes die die blog hebben opgezet? De Dating Game? Met die vragenlijsten en die datingservice en alles?'

'Klopt,' zei Holly. 'Het is een project voor IMO.'

'God, IMO. Wat een stom vak. Dat heb ik vorig jaar gehad. Ze zouden zo eerlijk moeten zijn het GTV te noemen. Gigantische TijdVerspilling.'

'Wat voor project heb jij gedaan?' vroeg Holly.

'Dat... dat zeg ik liever niet. Veel te gênant.'

'Hè toe! Wat? Ik zal niet lachen, echt niet.'

'Nou, vergeet niet dat Dan vorig jaar voor het eerst lesgaf, dus hij had geen idee waar hij mee bezig was. Hij vond zo ongeveer alles goed...'

'Vertel nou!'

'Goed dan. Ik heb mijn vaders datinggewoonten bestudeerd. Met wie hij uitging, hoe lang het duurde, wat ze tijdens een date gingen doen, wat mijn moeder ervan vond...'

'Ik neem aan dat ze gescheiden zijn.'

'Het zou wel heel droevig zijn als dat niet zo was.'

'Wat voor cijfer kreeg je ervoor?' vroeg Holly.

'Een negen. Iedereen krijgt toch een negen voor IMO?'

Holly haalde haar schouders op. 'Ik weet niet. Misschien is Dan dit jaar strenger.'

Ze voelde zich al wat beter. Misschien kwam het door de frisse lucht. Maar het kwam ook door de manier waarop Rob met haar praatte. Hij moest de verhalen die Jake rondvertelde ook hebben gehoord, maar hij deed alsof hij er geen woord van geloofde. Hoewel, zei ze tegen zichzelf, dat kon het natuurlijk ook zijn: doen alsof.

'Het zal al wel laat zijn,' zei ze en ze stond op. 'Ik moet eens naar binnen om mijn vriendinnen te zoeken.'

'Ik loop met je mee.' Rob volgde haar het huis in. Een paar mensen keken op en zagen dat Rob en Holly samen buiten waren geweest. Holly kon het op hun gezicht lezen. Maar niemand zei iets.

Ze zocht Lina en Walker op, die vertelden dat Mads met Dash was verdwenen. 'Ze is in de studeerkamer,' zei Lina. 'Weet je nog, die kamer waarvan Mariska zei dat niemand erin mocht?'

'Zakkeswatzegge, jij bent zo'n lekkertje daddik je neusje wel zou kunnen afbijten,' zei Dash. Hij slikte zijn woorden half in, zijn hoofd ging op en neer en hij tuurde haar met halfdichte ogen aan. Mads dacht dat hij minstens zes glazen bier op moest hebben.

'Dank je,' zei ze. Ze had hem ook een lekkertje gevonden, daarstraks. Ja, ze wist nog dat ze dat eerder op de avond had gedacht. Maar nu vond ze hem een grote idioot met een bierkegel.

Ze zat in Mariska's verboden studeerkamer, de rustigste plek die ze hadden kunnen vinden (omdat Mariska de trap naar boven had versperd), in een leunstoel gedrukt met Dash boven op zich.

'Zakkeswatzegge? Ik heb echt zin om je te zoenen, lekker ding van me.' Dash likte haar neus en zoende haar toen nat op haar mond. Wriemelend zat ze onder hem en probeerde te voorkomen dat zijn elleboog haar maag fijn drukte. Hij graaide op haar rug naar het bandje van haar beha. Toen stak hij zijn hand onder haar shirt en maakte het haakje los. Mads kreeg het gevoel dat hij dat al vele keren eerder had gedaan.

'Eh, kun je even van me af gaan?' vroeg ze. 'Mijn benen slapen.'

Hij keek grijnzend op haar neer. 'Jij bent echt geweldig.' Weer zoende hij haar. 'Nou en of. Echwel.'

'Wat?' vroeg ze. Hij mompelde wat vaags. Zoende haar keel en drukte zijn gezicht in haar hals. Toen, opeens, hield hij op. Zijn gewicht voelde loodzwaar.

'Dash?' zei Mads. 'Wat doe je?'

Hij gaf geen antwoord. Hij bewoog niet. Ze greep hem bij zijn haar, tilde zijn hoofd op en keek hem aan. 'Dash?'

Hij maakte een snurkend geluid. O, geweldig. Hij was buiten westen, boven op haar!

En dat zou dan de grootste geilaard van de school zijn, dacht ze terwijl ze zich onder hem uit wurmde, en die valt in slaap als hij met mij is! Maar misschien was dat maar goed ook. Op dat moment vond ze hem nogal afstotend.

Ze maakte haar beha weer vast en trok haar kleren goed. Dash liet ze snurkend en kwijlend vooroverliggend in de leunstoel achter.

'Mads! Wat heb jij uitgespookt?' vroeg Lina toen Mads de woonkamer weer in kwam. Ze liet Walker in een hoek achter en trok Mads mee de gang in om met haar alleen te zijn.

'Helemaal niks,' zei Mads. 'En dan bedoel ik ook, helemaal níks.'

'Je bedoelt dat jullie niet... je weet wel...'

'Hij is buiten westen. Niks mee te beginnen.'

'Balen,' zei Lina, maar stilletjes was ze opgelucht. Ze wist dat Mads het alleen maar voor Sean deed, maar op de een of andere manier zat het idee van Mads met Dash haar niet lekker. Mads en

Dash, nee, géén combinatie.

'Sean is trouwens al een hele tijd geleden vertrokken,' zei Lina.

'Is hij weg?' vroeg Mads teleurgesteld. 'Wat denk je, heeft hij zich nog afgevraagd waar ik was? Heeft hij iets gezegd?'

'Niet tegen mij,' zei Lina. 'Hij praat eigenlijk nooit met me.'

'Met mij ook niet,' zei Mads.

'Daar is Holly,' zei Lina.

'O! Wat is er met Jake gebeurd?' fluisterde Mads.

'Vertel ik je straks wel,' fluisterde Lina terug. 'Volgens mij is er een nieuwe ontwikkeling.'

'Willen jullie al naar huis?' vroeg Holly.

'Ik kan je wel thuisbrengen,' zei Rob tegen haar.

'Bedankt, maar ik ben met mijn eigen auto,' zei Holly. 'En ik moet deze twee thuisbrengen.' Ze stelde Rob aan Mads en Lina voor.

'Oké,' zei Rob. 'Nou, tot ziens op school dan maar.' Hij schonk haar zo'n w   limlach dat Jake voorgoed uit haar hoofd en hart wegsmolt   praatjes die hij had verspreid verstomden. Nu was ied   uwsgierig of Rob en Holly iets met elkaar hadden.

De m   iepen naar de auto. 'En?' vroeg Holly aan Mads. 'Ben je eer   .va'len vrouw?'

'Nee,' antwoordde Mads. 'Ik ben zo onsexy dat zelfs de geilste jongen van de schoo,   wakker kan blijven als hij met mij samen is. Maar vertel op, Holly, hoe zit het met die Rob?'

'In de auto,' zei Holly. 'Dan vertel ik alles.'

13 Profiel van een navel

Aan: mad4u
Van: Elke dag je horoscoop

Dit is je horoscoop voor vandaag: Maagd: Er loopt iemand rond die
jou leuk vindt, Maagd. En is niet fijn om leuk gevonden te worden?

'Ik snap het niet,' zei Audrey. Het was zondagochtend en ze hing,
onuitgenodigd, op Mads' bed. Mads zat aan haar computer de
nieuwe Dating Game-inzendingen te lezen. Sommige mensen
wilden anoniem blijven, maar anderen stuurden een foto met hun
vragenlijst mee, alsof ze zichzelf daarmee wilden aanprijzen.

'Waarom wil je een andere vriend hebben als je op Sean Benedetto verliefd bent?' vroeg Audrey.

Mads voelde er niets voor dat hele maagdelijke gedoe aan
haar elfjarige zusje uit te leggen. Dat mocht M.G. zijn, of ze het
leuk vond of niet.

'Hoezo moet jij je daarmee bemoeien?' vroeg ze. 'Wat doe je
trouwens in mijn kamer? En ga eens met je stinkpantoffels van
mijn bed af!'

Pruilend stak Audrey haar vuile, knalroze, pluizige konijnenpan-
toffels over de rand van het bed, net ver genoeg om zich aan de
letter van de wet te houden. 'Toe nou, Mads, ik verveel me,' jammerde ze. 'Wil je niet iets doen? Ik heb de pest aan zondagen.'

'Ik heb het druk. Ga de Opperheer maar aan zijn kop zeuren
om een videospelletje met je te doen.'

'Hij zei dat hij dat zou doen als hij de krant uit heeft,' zei Audrey.
'Die krant waar geen eind aan komt. Daar is hij morgenochtend
aan het ontbijt nog mee bezig.' Ze liet zich van het bed glijden,
kwam achter Mads staan en keek over haar schouder naar het

beeldscherm. 'Waarom zit je naar een foto van iemands navel te kijken?'

Een meisje met de gebruikersnaam 'queenie' had een foto van haar taille – en ook niet meer dan dat – met haar vragenlijst meegezonden. Dat was geen slecht idee, vond Mads. Het was een heel mooie taille.

'Wat is dit?' vroeg Audrey. 'Is dit dat project dat je met Holly en Lina doet?'

'Ja. En nou je mond houden. Of ophoepelen. Of allebei.'

'Waarom zet jij je profiel er niet op?' stelde Audrey voor. 'Misschien dat Sean het ziet en je mee uit vraagt. Maar zet je navel maar niet op de foto. Die lijkt net opa's gezicht.'

'Niet waar,' zei Mads. Ze trok haar shirt omhoog en inspecteerde hem. Hij had echt wel iets van het rimpelige gezicht van een oude man. Maar dat zou ze nooit toegeven. 'Ik heb tenminste niet zo'n uitpuilende als i

'Die is al e   s geleden naar binnen gegaan!' riep Audrey veror

'Het is nog ste ᵤₛ e ᵉn uitpuiler, maar dan vermomd,' zei Mads. Dit was een gevoelig punt voor Audrey. Hiermee kon ze haar gemakkelijk op de kast krijgen. 'Navelfreak.'

Toch was het geen slecht idee van Audrey. Waarom zette ze haar profiel niet op het blog? Eentje waarin ze een wereldwijze, ervaren en sexy indruk maakte. Misschien zouden ze haar dan anders gaan behandelen. Misschien zou Sean het zien en van gedachten veranderen. Misschien zou hij haar zelfs mee uit vragen! Het belangrijkste was een sexy foto.

Ze keek naar Audrey, sinds haar zesde een trouwe Britney Spears-volgeling. Zelfs 's zondags gewoon thuis droeg Audrey een armvol felgekleurde plastic armbanden, een korte bloemetjesketting, oogschaduw en lipgloss bij haar hardroze flanellen pyjama, uiteraard met trendy opgerolde mouwen en pijpen. Dat kind was pas elf, maar Mads wist dat ze haar grote zus op het gebied van uiterlijk nog heel wat kon leren.

'Haal mama's digitale camera eens, Aud,' zei Mads. 'Jij gaat een foto van mij nemen voor mijn profiel.'

Ze gaf zichzelf met make-up zo veel mogelijk glamour en poseerde in een strapless topje, met getuite lippen alsof ze een kus gaf. Audrey nam een paar foto's. Mads koos de beste uit zette hem in de computer, schreef haar profiel en plaatste het.

Screennaam: mad4u
Leeftijd: 15
Klas: 10
Op zoek naar: liefde! Met een jongen. Ik hou van oudere jongens, vooral twaalfdeklassers. Ik ben heel geraffineerd en heb veel ervaring. Je weet toch wel: klein maar fijn. Niet dat ik klein ben of zo.

Nu hoefde ze alleen nog maar te wa... ...liefde binnen kwam stromen.

'Door Mads' profiel heb ik een idee voor een nieuwe quiz gekregen,' zei Holly tegen Lina toen ze naar de bibliotheek liepen. 'Iets als: "Weet jij hoe je een profiel op een datingsite moet ontcijferen?"'

'Bijvoorbeeld als Mads zegt dat ze veel ervaring heeft, dan bedoelt ze eigenlijk dat ze graag zou willen dat dat zo was?' vroeg Lina.

'Precies.'

In de bibliotheek ging Lina aan een computer zitten om de nieuwe quiz te lezen.

Quiz:

Weet jij hoe je profielen op datingsites moet ontcijferen?

Wanneer je je profiel online zet, hoor je een min of meer juist beeld van jezelf te geven. Een klein beetje overdrijven mag, maar wat de ene jongen als 'ruig uiterlijk' beschrijft, zou de ander misschien eerder 'pokdalig' noemen.

Hoe goed ben jij in staat die profielen te lezen?

1 **Hij zegt dat hij 'creatief' is. Dat is een andere omschrijving voor:**
   A   niet goed in sport
   B   moederskindje
   C   modeverslaafd
   D   volkomen geschift
   E   al het bovenstaande

2 **Zij zegt dat ze 'voluptueus' is. Dat betekent eigenlijk:**
   A   sexy
   B   goedgevormd
   C   grote borsten
   D   dikke kont
   E   dikzak

3 **Zijn gezicht heeft 'karakter'. Vertaling?**
   A   de chagrijnigheid straalt van hem af
   B   hij is op een ongewone manier aantrekkelijk
   C   zijn uiterlijk spreekt niet iedereen aan
   D   hij is niet om aan te zien

4 **Hij gaat er na zijn eindexamen een jaar tussenuit 'om zichzelf te vinden'. Dat wil zeggen:**

A   hij maakt een wereldreis

B   hij besteedt veel tijd aan lezen en diep nadenken

C   hij is nergens toegelaten

D   hij werkt bij McDonald's

E   hij zit in de gevangenis

5 **Hij is op zoek naar iemand om 'het gewoon leuk mee te hebben' of 'gewoon mee op te trekken'. Duidelijker gezegd:**

A   hij wil het rustig aan doen om zeker te weten dat jullie bij elkaar passen

B   hij wil in de eerste plaats gewoon bevriend met je zijn

C   hij heeft al verkering

D   hij wil alleen seks en meer niet, en daarna hoor je nooit meer wat van hem

6 **Zij zoekt een 'gelijkgestemde ziel', oftewel:**

A   iemand die haar echt begrijpt

B   iemand met dezelfde normen en waarden als zij

C   iemand om veel seks mee te hebben

D   iemand die niet allergisch voor haar katten is

E   een sukkel die alles doet wat ze wil

Score:

Als je vooral D's en E's hebt gekozen, weet jij wat erachter zit, vermoedelijk uit bittere ervaring. Als je vooral A's, B's of C's hebt gekozen, staat je nog een hele schok te wachten.

'Alweer zo'n meesterwerk,' zei Lina. 'Jij bent echt goed in die dingen, Holly.' Ze keek naar het prikbord aan de wand van de bibliotheek, dat vol mededelingen en aankondigingen hing. 'Laten we maar een briefje ophangen, dan weet iedereen dat er in ons blog een nieuwe quiz staat.'

Ze typte een aankondiging en printte hem. Holly liep met haar mee naar het prikbord. Terwijl Holly een niet-gebruikte punaise zocht, zag Lina iets interessants.

'Hé, kijk hier eens.' Ze wees naar een velletje papier op het prikbord. 'Ode aan Madison Markowitz.'

'Door Paco,' las Holly. De jongen die had gezegd dat hij alleen Mads wilde, en geen ander.

Op dat moment kwam Mads binnenlopen en zag Holly en Lina naar het prikbord staan kijken. 'Wat lezen jullie?' vroeg ze.

'O, niks bijzonders. Alleen maar een lofzang op jouw schoonheid.' Lina wees naar het gedicht, dat in groene inkt op een schriftblaadje was geschreven.

'Oh, my God,' zei Mads. 'Is dat voor mij? Een gedicht over mij?' Ze haalde het van het prikbord en las het met trillende handen.

Ode aan Madison Markowitz
Door 'Paco'

Ik ben verliefd op Madison
Ik wil haar in mijn bed-ison
Dan maken we daar pret-ison
O Madison, mijn Madison

O mijn mooie Markowitz
Ik wil je voorop op de fiets
En dan het liefste zonder iets
Aan.
Mijn Madison! Mijn Markowitz!

'Wat een klotegedicht,' zei Madison.

'Nou, het is dan misschien geen Shakespeare,' zei Lina. 'Maar het gevoel erachter...' Ze zweeg. Je kon er niet onderuit, het was een klotegedicht. 'Toch is het spannend,' zei ze. 'Er is iemand gek op je! En hij verklaart je in het openbaar zijn liefde, zomaar hier op het prikbord in de bibliotheek!'

'En als het een geintje is?' zei Madison.

'Wie zou er nou zoveel moeite doen om een geintje met je uit te halen?' vroeg Holly. 'Gaan zitten rijmen en alles, bedoel ik. Hij had zich een hoop moeite kunnen besparen door iets te schrijven wat niet rijmde.'

'Ik vind het ontzettend romantisch,' zei Lina.

'Wie zou Paco zijn, denken jullie?' vroeg Mads. Lina en Holly haalden hun schouders op.

'Misschien wordt het tijd dat je daarachter komt,' zei Holly.

'Maar als Sean het niet heeft geschreven, kan het me verder niet schelen ook,' zei Mads.

'Maar zelfs al is het Sean niet, het is een jongen die jou leuk vindt,' zei Lina. 'En dan hoort Sean dat misschien, of hij ziet jullie samen...'

Jongens houden van meisjes waar andere jongens achteraan zitten,' zei Holly. 'In dat opzicht zijn het net schapen.'

'Gelijk heb je,' zei Mads. 'Misschien moet ik die Paco eens proberen. Wat is het ergste dat er kan gebeuren?'

Maar over dat onderwerp hielden Holly en Lina hun gedachten voor zich.

14 Een en al poëzie

Aan: linaonme
Van: Elke dag je horoscoop

Dit is je horoscoop voor vandaag: Kreeft: nog één stap en je gaat over de rand. Zwaai je naar me als je in de diepte stort?

Lina wou eigenlijk dat Paco dat gedicht voor Mads niet had geschreven, want daardoor ging ze weer twijfelen of het gekke plan dat ze zelf net had bedacht, wel zo'n goed idee was.

Ze had het helemaal niet van tevoren bedacht, maar op een avond was ze nog laat wakker en toen zat ze opeens een gedicht te schrijven. Nog een goed gedicht ook. Zeker zo goed als alles wat Ramona en haar vriendinnen schreven. Er was geen enkele reden waarom het niet gepubliceerd zou kunnen worden, en de beste plaats daarvoor was de *Vuurvlieg*.

Om iets in te sturen voor publicatie in de *Vuurvlieg* bestond een vaste procedure: je moest je werk in de doos leggen die voor de redactieruimte in de gang stond. Lina had Dan die doos al een paar keer zien legen. Waarschijnlijk zette hij zijn commentaar bij de inzendingen en gaf hij ze dan aan de redacteuren door, Carrie en Ramona.

Maar Lina's gedicht was niet voor hun ogen bestemd. Het was alleen voor Dan. Dat zou hij wel zien zodra hij het las. En hij zou ook zien dat Lina een literair genie was, haar stem een geschenk voor de dichtwereld. Een geschenk dat hij haar moest helpen koesteren en ontwikkelen. Eerst zouden leerling en leraar alleen verbonden worden door hun liefde voor het geschreven woord. Maar wanneer de leerling uitgroeide tot een onweerstaanbare jonge dichteres, zou hij langzaam maar zeker gaan beseffen dat er

116

ook liefde was gegroeid. Een liefde die de beperkingen van leeftijdsverschil, schoolregels, afschuw van ouders en politieke correctheid zou overstijgen. Een liefde voor eeuwig.

En dit gedicht was het begin van dat alles.

Pedanterie

Ik sta voor je en wacht,
licht,
pbnvast, als een
vieriooltie net boven het bedauwde gras,
e enzaam.
Denk niet aan weggaan
als ik nog geen kans heb gekregen
naar volle bloei te rijpen.

Tevreden las Lina het gedicht nog eens over. Ze wist dat ze een beetje te ver doorsloeg als het om Dan ging, daarom kon ze haar vriendinnen ook niet over haar werkelijke gevoelens vertellen. Het maakte misschien niets uit dat Mads helemaal gek van Sean was, maar dit was anders, gevaarlijker. En Holly leek altijd zo evenwichtig. Bij haar vergeleken schaamde Lina zich gewoon, en durfde ze niet goed te laten merken hoe stompzinnig ze zelf kon zijn.

Ze vouwde het gedicht op en stopte het in een envelop, die ze dichtplakte. Op de buitenkant schreef ze: 'Aan Dan Shulman, gedicht voor de *Vuurvlieg*'. Toen liet ze het in de doos achter.

hollygolitely: al reacties op je profiel gehad, mads?

    mad4u: niet echt. 1 meisje bood me een makeover van mij makeover aan. sebastiano maakte vandaag zoengeluidjes naar me. ik geloof dat hij mijn foto grappig vindt.

Die dinsdagavond zat Holly op haar kamer haar huiswerk voor geschiedenis niet te doen. Dus ze kon net zo goed even met Mads op MSN gaan.

hollygolitely: basti houdt van plagen.

mad4u: een paar jongens hebben gereageerd met een geintje, maar niks serieus. tenzij je paco meetelt.

hollygolitely: heeft paco op je profiel gereageerd?

mad4u: ja. wil met me uit.

hollygolitely: en?

mad4u: ik denk dat ik het maar doe. tijd om te ontdekken wie die eikel is.

flappie: hé holly, hoe gaatie? rob hier.

hollygolitely: mads, ik krijg net een msn van rob! Ik spreek je nog wel.

mad4u: oké.

hollygolitely: hoi rob. zomaar wat aan het chillen. waar heb je die gebruikersnaam vandaan?

flappie: stom, hè? zo noemt mijn pa me als ik appelflappen bak. want daar ben ik nogal goed in. ik wist ook niet wat ik anders voor naam moest kiezen.

hollygolitely: ik vind het leuk. appelflappen zijn lekker.

flappie: en, hoe staat het met het imo-project? nog spannende ontwikkelingen?

hollygolitely: nou en of. wist je dat er een jongen bij ons op school zit wiens meest gênante moment was toen zijn stiefzusje onuitwasbare groene verf in zijn zwembroek had gedaan? hij zegt dat hij daar beneden wekenlang groen bleef, en de jongens bij hem in het zwemteam noemden hem al de buitenaardse kont.

flappie: volgens mij weet ik wie dat was. uit de elfde?

hollygolitely: klopt. maar volgens mij wil hij liever anoniem blijven.

flappie: oké, ik wou alleen even kletsen. nou moet ik weer
eens met de burgeroorlog verder. wacht, nog 1 ding.
heb jij al een date voor het winterbal?

hollygolitely: nee. jij wel?

flappie: nee. wil jij mijn date zijn?

hollygolitely: oké. lijkt me leuk.

flappie: super. ik spreek je nog wel.

hollygolitely: cool. doei.

flappie: c-u.

Holly krijste van opwinding. Rob wilde met haar naar het bal! Dat was een supergoed teken. Misschien was die Boezembabe-periode eindelijk voorbij. De slet van de school werd meestal niet naar een bal meegevraagd.

Ze logde uit en probeerde zich op haar geschiedenisboek te concentreren. De Eerste Wereldoorlog. Was ze gek geworden? Hoe kon ze op zo'n moment nu iets leren? Ze logde weer in en zocht contact met Mads en Lina.

hollygolitely: met1 stoppen met wat je aan het doen bent. rob
heeft me meegevraagd naar het winterbal!

linaonme: x-l-ent!

mad4u: u r so lucky

linaonme: jake wordt vast jaloers.

hollygolitely: raad es? kan me niks schelen!

mad4u: o zo. rob is veel cooler.

hollygolitely: heb je paco al geschreven, mads?

mad4u: nee.

linaonme: doe nou! misschien wil hij met jou naar het bal!

mad4u: en jij dan, lina?

linaonme: maak je om mij maar niet druk. ik red me wel.

Aan: paco
Van: mad4u
 Re: mijn profiel

Oké, ik geef het op. Wie ben je? Ik wil je nu wel eens ontmoeten om dat te weten te komen.

Aan: Mad4u
Van: paco
 Re: super!

Je hebt mij de gelukkigste jongen op aarde gemaakt! Maar je moet geduld hebben. Binnenkort krijg je een aanwijzing van me over wie ik ben. Tot dan ben ik degene die mad-4-u is.

Gefrustreerd gaf Mads een mep op haar toetsenbord. Toch niet te geloven! Hij wou niet zeggen wie hij was? Hij gaf niet eens een aanwijzing? Ze wilde het nu meteen weten, dit moment, zodat ze het een en ander over hem kon checken voor ze hem onder ogen kwam. Om zeker te weten dat hij wat voor haar was. Want ze had het vervelende gevoel dat er aan iemand die zo gek op haar was een steekje los moest zitten.

Beste Lina,

Dankjewel voor je inzending voor de Vuurvlieg. Helaas sluit je werk niet aan bij wat we op dit moment zoeken. Laat je daardoor alsjeblieft niet weerhouden ons in de toekomst nog eens iets te sturen.

Met vriendelijke groet,
De redactie
Vuurvlieg, het literaire tijdschrift van RSAOB

Lina baalde toen ze de afwijzing las. Hoe konden ze? Haar gedicht was toch in elk geval niet slechter dan dat gezever dat ze gewoonlijk publiceerden. Had Ramona de envelop onderschept en hem zelf geopend, ook al was hij aan Dan gericht? Had Dan het gedicht eigenlijk wel te zien gekregen?

Onder de geprinte tekst stond met de hand geschreven:

Lina,

Je gedicht is niet echt slecht. We zouden er misschien nog wel eens naar willen kijken als je bereid was het te reviseren. Carrie, Siobhan en ik vonden dat het te bloemrijk was en dat er iets rauws aan ontbrak. Je zou kunnen proberen er wat religieuze of doodssymboliek in te verwerken, bijvoorbeeld rivieren van bloed, slangen, hellepoorten en rituele slachting. Of je zou het in een totaal andere richting kunnen zoeken. Hier een suggestie voor wat je ervan zou kunnen maken:

L euk geprobeerd,
A l dat violengedoe.
A ardig.
T och
M oet je weten dat het
A llemaal,
A llemaal niets uithaalt.
R ot voor je...

Dit is natuurlijk niet meer dan een suggestie – de mening van een redacteur – en het staat je uiteraard vrij aan je eigen visie vast te houden, hoe meelijwekkend die ook is.

Ramona

P.S. De Dan Shulman-sekte (DSS) komt elke vrijdag in ons clubhuis (mijn kamer) bij elkaar. We hebben een klein museum met Dan-souvenirs: gebruikte koffiebekers, werkstukken die hij heeft nagekeken, enzovoort. Je bent van harte welkom op de eerstvolgende bijeenkomst, deze vrijdag. Ik neem aan dat je dan geen date of zo hebt. RF

Kwaad verfrommelde Lina de brief. Wat vond die Ramona zichzelf toch slim! Dat was blijkbaar haar enige manier om niet te laten merken wat een totaal verknipte mislukkeling ze zelf was.

Maar zo makkelijk liet Lina zich niet tegenhouden. Ramona mocht dan in staat zijn Dans privé-post op school te onderscheppen, maar bij hem thuis kon ze dat niet. Hoewel, eigenlijk zag Lina haar daartoe ook nog wel in staat; het zou echt iets voor Ramona zijn om de posterijen te beheksen zodat Lina's post zoek raakte.

Lina wilde geen enkel risico nemen. Ze zou het gedicht zelf bij Dan bezorgen. In eigen persoon. Rechtstreeks. Om zeker te weten dat hij het kreeg. En om Ramona erbuiten te houden zou ze het bij hem thuis bezorgen.

Ze zei tegen zichzelf dat ze het alleen maar in het belang van de literaire rechtvaardigheid deed. Ze wilde alleen maar dat de docent-adviseur van de *Vuurvlieg* haar gedicht zag. Zodat haar gedicht een eerlijke kans op publicatie kreeg. Dat was alles. Dat was de enige reden dat ze naar Dans huis ging. Dat klonk volkomen logisch, vond ze. Zolang ze er niet te veel over nadacht.

15 Paco ontmaskerd

Aan: mad4u
Van: Elke dag je horoscoop

Dit is je horoscoop voor vandaag: Maagd: Vandaag word je met een ondoorgrondelijk mysterie geconfronteerd. En dat mysterie is: wat heb je gedaan om dit te verdienen?

Madison,

Eindelijk is het zover. Kom vanmiddag na school naar het tekenlokaal, dan zie je eindelijk wie degene is die meer van jou houdt dan van rundvleesburritos, kaaschipitos of het leven zelf.

Paco

Donderdagochtend, halfnegen. Mads trok het briefje van haar kluisje af en las het nog eens. Het handschrift was jongensachtig en slordig; het paste absoluut niet bij de bloemrijke taal. Misschien maar goed ook.

De dag kroop voorbij, elke minuut leek een eeuwigheid te duren. Het laatste uur die dag had ze meetkunde, het vak dat ze het meest verafschuwde. Mildred Weymouth, haar meetkundelerares, was een gezette, absoluut aardige dame van in de zestig met een glazen oog en een stem waarvan zelfs een hyperactieve leerling nog in een coma zou raken. Vandaar haar bijnaam 'Trusten', tenminste wanneer ze haar geen 'Milli Meter' noemden.

Eindelijk, eindelijk ging de laatste bel. Mads dumpte haar boeken in haar kluisje en inspecteerde haar gezicht en haar kapsel in de spiegel die ze aan de binnenkant van de deur had geplakt. Ze had besloten rustig aan te doen wat make-up betrof, omdat er leerlingen waren die haar 'wasbeeroogje' noemden nadat ze de foto bij haar profiel hadden gezien.

Goed. Tijd om haar noodlot onder ogen te zien.

Ze liep naar de tweede verdieping. Het tekenlokaal was in een ruimte op zolder, met bovenlichten en ramen die over de stad uitkeken.

Voor de deur bleef ze even staan om diep adem te halen. Laat het alsjeblieft iemand zijn die een beetje cool is, bad ze. Ze opende de deur en ging naar binnen. Het lokaal was leeg, afgezien van, uiteraard, een heleboel tekeningen en Getver Gilbert.

Wat deed die hier? Paco kon elk moment komen, en dan wilde ze niet dat Gilbert erbij was om het te verpesten.

'Hoi, Madison,' zei Gilbert.

'Hoi, Gilbert,' zei Mads. 'Wat doe jij hier ? Ik heb hier met iemand afgesproken.'

'Weet ik,' zei Gilbert. 'Met mij.'

Alweer? Mads hersenen verzetten zich uit alle macht tegen de overduidelijke conclusie. Als ze iemand niet wilde zien was het Gilbert. Ze was daar absoluut níét om hém te ontmoeten. Maar alle hoop verging haar toen ze begreep dat híj daar wel was om háár te ontmoeten. Alweer.

Hij stond op en kwam langzaam op haar af lopen, gekleed in een bruine geruite broek waar hij uitgegroeid was. Zijn lange benen staken er als stelten onderuit.

'Ik ben "Paco",' legde hij uit.

Mads greep naar een stoel en ging zitten. 'Nee,' bracht ze uit. 'Jij kunt Paco niet zijn. Jij hebt al een vragenlijst ingevuld. Je bent "John"!'

'Ik ben Paco én John,' zei Gilbert. 'Ik heb twee vragenlijsten ingevuld, onder verschillende gebruikersnamen. Ik wou er zeker van zijn dat ik hoe dan ook aan jou gekoppeld werd. En ik nam aan dat ik dubbel zoveel kans maakte als ik mijn naam twee keer in de hoed gooide. Ben je verbaasd?'

Dat kon je wel zeggen, dat ze verbaasd was. Het was geen moment bij haar opgekomen dat Gilbert twee verschillende namen zou kunnen gebruiken. Ze dacht dat ze van hem af was toen ze 'John' had weggewerkt. Nu bleek hij een zelfklonende mutant, of een robot die elke keer dat je hem vernietigde nog sterker terugkwam.

'Dat is niet eerlijk,' bracht ze uit. Het leek wel of haar keel dichtzat. Wat een teleurstelling. 'Zo bederf je de resultaten van ons IMO-project.'

'Kan me niet schelen,' zei Gilbert. 'Ik ben meedogenloos. Ik doe alles om jou te krijgen.'

Hij trok een bos rozen in cellofaan achter zijn rug vandaan en bood haar die aan. Ze klemde haar ijskoude vingers om de stelen.

'Ik heb iets ontzettend belangrijks met je te bespreken, Madison,' zei Gilbert. 'Ik moet je iets bekennen. Ik schaam me er een beetje voor, maar ik weet dat ik je kan vertrouwen.'

'Wat dan?' vroeg Mads. Ze wilde niets liever dan weggaan, maar haar benen voelden totaal verstijfd.

'Ik ben nog maagd.'

Mads keek hem aan. Hoorde ze dat goed? Of was dit alleen maar een afschuwelijke droom?

'Zei je dat je nog maagd was?' vroeg ze. 'Op je twaalfde? Jeetje, daar kijk ik van op.'

'Ja, het is echt zo,' zei hij. Hij veegde zijn neus af aan zijn mouw. 'Ik weet wel dat het moeilijk te geloven is. Maar ik heb besloten bij jou van mijn maagdelijkheid af te komen. Jij bent wat ouder dan ik, dus jij bent vast al verder, of niet soms?'

O god, dacht Mads. Hij moest eens weten. Was Gilbert door de duivel gestuurd om haar te folteren?

'Is dat afgesproken?' vroeg hij. 'Kunnen we het zo gauw mogelijk doen? We kunnen de deur van het lokaal op slot doen en het meteen hier doen. Wat vind je?'

Hij grijnsde breed en liet zich met wijd uitgespreide armen op één knie zakken.

Ongelovig staarde Mads hem aan. De rozen vielen uit haar handen op de vloer, maar ze merkte het niet en het kon haar ook niet schelen. Ze was te verbluft om een woord uit te brengen.

Gilberts glimlach verdween, maar hij gaf de hoop nog niet op. 'Anders kan ik je ook eerst een keer mee uit nemen,' bood hij aan. 'Dat is ook goed.'

Langzaam begon de ijzige kou die haar in zijn greep hield over te gaan in dooi. Ze bewoog haar vingers en tenen. Ze wilde schreeuwend het lokaal uit hollen, maar ze wist niet zeker of haar benen haar wel konden dragen.

Langzaam stond ze op om haar kracht te testen. 'Ik begrijp je situatie, Gilbert,' zei ze kalm. 'En geloof me, ik voel met je mee. Maar ik kan je niet helpen. Het spijt me, maar ik ben niet geïnteresseerd.'

In paniek schuifelde Gilbert op zijn knieën over de vloer. 'Maar Madison, als je me een kans gaf om je over te halen…'

Madisons kalme, beleefde buitenkant barstte. Zo stevig was hij toch al niet geweest. Maar aan haar benen mankeerde niets.

'Nee!' schreeuwde ze. 'Lazer op!'

En nú holde ze schreeuwend het lokaal uit.

'Madison, kom terug!' riep Gilbert. 'Wil je met me naar het bal?'

16 Het bal begint

Aan: mad4u; hollygolitely; linaonme
Van: Elke dag je horoscoop

Dit is je horoscoop voor vandaag: zonsverduistering! Alweer zo'n ingrijpend astrologisch verschijnsel. Jammer genoeg vindt het op het zuidelijk halfrond plaats, zodat jullie daar in het noorden er niets van merken. Maar dat wil niet zeggen dat het geen invloed op jullie heeft. De sterren voorspellen spannende ontmoetingen en spannende ontsnappingen voor iedereen.

'Ik haal jullie om elf uur weer hier op, oké?' zei Lina's vader tegen Lina en Mads, uit het raampje van zijn zwarte auto leunend.

'Oké, pap. Bedankt,' zei Lina.

'Bedankt, meneer Ozu,' zei Mads.

Holly had pas een paar heerlijke weken haar rijbewijs, maar Lina en Mads waren er nu al aan gewend dat ze met haar meereden naar feestjes en zo. Het voelde als een ontbering om nu weer van ouders afhankelijk te zijn.

'Hoe moet dat als Holly en Rob verkering krijgen?' vroeg Mads. 'Dan laat Holly ons vast nooit meer meerijden. En jij wordt pas in juli zestien!'

'Maar als ze Rob aardig vindt…' zei Lina. 'Ik bedoel, dat vind ik geloof ik niet zo'n goede reden om te wensen dat het niks wordt tussen hen.'

'Weet ik. Het is superegoïstisch en ik ben een afschuwelijk mens. We zullen gewoon met Rebecca of zo moeten aanpappen. Volgens mij is die in maart jarig.'

Ze bleven voor de ingang van de school even staan kijken naar de leerlingen die toestroomden voor het bal. Toen gingen ze naar binnen en liepen de gang door naar de aula, die armzalig versierd was met nepsneeuw, een iglo en gekleurde lichtjes. Er was geen band, alleen een deejay – iemands oudere broer – die door de feestcommissie was ingehuurd. Maar ook al deden Lina en Mads alsof het allemaal niet veel voorstelde, ze waren wel opgewonden. Mads hoopte dat Sean er zou zijn. Misschien kon ze tijdens het dansen bij hem in de buurt komen en dan zou hij zich omdraaien en dan zouden ze samen dansen, al was het maar een paar seconden.

Lina had haar moeders parfum geleend, voor het geval dat Dan soms toevallig bij haar in de buurt kwam staan. Misschien zou hij dan een vleugje van die geraffineerde geur opvangen en zou die hem bijblijven, waardoor hij op een andere manier aan haar ging denken…

'Hoi, meiden.' Daar had je hem. Hij stond bij de deur de leerlingen te begroeten als ze de aula in kwamen. Hij droeg zijn gewone pak en de smalle das, maar had er voor de gelegenheid een platte hoed bij op. 'Wat zien jullie er allebei geweldig uit.'

Lina voelde haar gezicht gloeien. Ze wist best dat hij het heel in het algemeen zei, tegen Mads en haar samen, maar toch hadden zijn woorden effect op haar – daar kon ze niets aan doen.

'Dank je,' zei ze.

'Veel plezier vanavond,' zei hij. De meisjes liepen naar binnen, en Dan bleef bij de deur staan om de volgende leerlingen te begroeten. De muziek was al bezig, maar er danste nog niemand.

'Kom, we gaan wat te drinken halen,' zei Mads, en ze liepen regelrecht op de tafel met frisdrank af. Dan hadden ze iets te doen. Ze namen een glas en gingen ermee tegen de muur staan toekijken en afwachten hoe alles zou lopen als het feest op gang kwam. Lina's blik dwaalde steeds weer naar Dan bij de deur. Hoe deed hij tegen iedereen? Min of meer hetzelfde, zo te zien. Maar hij moest de ene leerling toch aardiger vinden dan de andere, moest toch geheime signalen afgeven waaruit dat bleek, ook al had hij dat zelf niet door... Bah, daar had je Ramona, met Siobhan, Chandra en Maggie. Ze waren in complete vampiermake-up, hun zwarte haar vol rode vegen, op hoge zwarte veterlaarzen en in doorschijnende lange jurken. Ze dwarrelden als motten om Dan heen en deden alsof ze een of andere heksenbetovering over hem afriepen. Lachend speelde hij het spelletje mee. Vast alleen om aardig te doen. Toen renden ze verder naar de dansvloer en begonnen als eersten te dansen, met zijn vieren in een kring, wervelend en ronddraaiend alsof ze aan een geheime vorm van extase ten prooi waren. God, wat kon Lina zich toch aan hen ergeren. Ze deden of ze iets wisten wat niemand anders wist, alsof ze geheime wijsheid of kennis bezaten. Maar Lina vermoedde – nee, ze wist het wel zeker – dat het alleen maar show was, hun manier om het gevoel te krijgen dat ze iets bijzonders waren. Onder die kostuums en haarverf en dikke lagen make-up waren ze net zulke alledaagse sukkels als iedereen.

'Hé.' Mads gaf haar een duwtje. 'Daar zijn Holly en Rob.'

Holly zag er zo mooi uit in haar strak aansluitende tricot jurk en kniehoge laarzen, met haar dikke haar losjes boven op haar hoofd vastgestoken, dat Mads meteen spijt kreeg van haar egoïstische uitval over het meerijden.

Holly zwaaide en liet Rob even in de steek om hen gedag te komen zeggen. 'Wat zien jullie er super uit!' zei ze.

'Hoe gaat het?' vroeg Lina. De date met Rob, bedoelde ze.

'Nog geen complicaties,' antwoordde Holly. 'We komen net binnen. Als er behalve die vier heksen nog iemand anders ging dansen, zouden wij dat misschien ook wel doen. Komen jullie maar met ons mee dansen!'

'Nee,' zei Mads. 'Dit is eigenlijk jullie eerste date. We wachten wel tot jullie een vast stel zijn, dan komen we jullie lastigvallen.'

'Maak je om ons maar niet druk,' zei Lina. 'Ga nou maar!'

Holly straalde. Ze draafde naar Rob terug en samen gingen ze iets te drinken halen.

Lina en Mads keken welke docenten er waren om toezicht te houden. Ze stonden in twee groepjes bij de deur en de tafel met frisdrank. 'Daar heb je Milli Meter,' zei Mads, 'het slaapapparaat. Moet je zien wat ze aanheeft.'

De gezette mevrouw Weymouth droeg een knaloranje gebloemde kaftan met een slinger van plastic bloemen om haar hals. Ze stond een heel verhaal te houden in het oor van Frank Welling, de tekenleraar, die, passend bij het thema van de avond, een dik skipak aanhad.

'Waar zouden ze het over hebben, denk je?' vroeg Mads. Mevrouw Weymouth en meneer Welling schenen niets gemeen te hebben, behalve natuurlijk dat ze allebei op Rosewood lesgaven. En dat hun achternaam met een W begon.

'Misschien is ze met hem aan het flirten,' zei Lina. 'Of probeert ze met hem aan te pappen! "O, Frank, kom naar me toe in het bos achter de gymzaal. Om samen hartstochtelijk te vrijen, Frank!"'

Mads lachte. 'Ja, en dan zegt hij: "Okidoki, Milli. Geef me alleen even een paar minuutjes zodat ik mezelf eerst voor mijn kop kan schieten." Is ze niet getrouwd?'

'Weet ik niet. Zal wel.'

'Wat raar eigenlijk dat de docenten geen date meebrengen naar het feest,' zei Mads. 'Dan hadden ze tenminste iemand om mee te dansen.'

'Ik zou niet weten waarom ze niet met leerlingen kunnen dansen,' zei Lina.

'Jij niet, nee.'

Mademoiselle Barker, een slanke, knappe, jonge lerares Frans met sluik donker haar dat op haar voorhoofd heel kort was, wervelde de zaal door naar de deur en begon een gesprek met Dan. Zij pakte zijn hand vast en maakte met wiegende heupen een paar danspassen voor hem, terwijl hij lachend stokstijf op zijn plaats bleef staan.

Ze is niet getrouwd, dacht Lina. Want dan zouden we 'Madame' moeten zeggen.

Mademoiselle Barker draaide nog eens met wijd uitwaaierende rok rond en gaf het toen voorlopig op wat Dan betrof. Er begon een nieuw nummer en een groepje footballspelers bestormde stampend en handenklappend de dansvloer. Zeker een lied dat ze voor een wedstrijd in de kleedkamer voor de warming-up gebruikten.

Opeens kneep Mads Lina in haar bovenarm en klemde haar hand er toen nog strakker omheen. 'Sean is er,' fluisterde ze.

'Au.' Lina rukte haar arm los. Sean kwam binnenlopen met zijn vrienden Alex Sipress, Barton Mitchell en Mo Basri. Hij had zijn arm om een knap meisje heen dat Lina niet herkende. Ze was lang en blond, met zo'n lange pony dat haar grote, zwartomrande ogen er bijna achter verdwenen. Ze droeg jeans, laarzen en een te krap militair jack over een strak T-shirt. Ze zag eruit of ze er helemaal niet op had gerekend naar een bal te gaan, waardoor ze natuurlijk prompt het hipste meisje in de zaal was. Ze was te cool om naar een schoolbal te gaan; dit was maar een lolletje voor haar, op weg naar grotere en betere dingen.

'Wie is dat?' vroeg Mads.

'Misschien Seans zusje,' zei Lina.

'Sean heeft geen zusje,' zei Mads. 'En zeg nou niet zijn nichtje. Je ziet zo dat ze dat ook niet is.'

Sean liet het meisje ronddraaien tot ze duizelig was, toen trok hij haar stevig tegen zich aan en zoende haar op haar mond.
'Ze zal wel op een andere school zitten,' zei Lina. Of op college. Dat kind moest minstens achttien zijn.

Mads staarde nijdig in hun richting. Hoe kon ze ooit tegen zo'n soort meisje op? Wat Mads ook deed, hoe geraffineerd ze ook probeerde te doen, zo cool zou ze nooit worden. Het was net zoiets als met een filmster willen concurreren: even onmogelijk, even deprimerend. De gedachte alleen was al te veel om vast te houden. Ze liet haar wegvliegen en keerde terug naar haar gebruikelijke onverwoestbare optimisme.

'Dus Sean heeft een meisje bij zich,' zei ze. 'Ik had ook niet anders verwacht. Maar ik geef het nog lang niet op.' Ze richtte haar laserblik op Seans vrienden: Alex, Barton en Mo.

'Alex is het leukst,' zei Lina.

'Ben ik het mee eens,' zei Mads. 'Alex wordt het. Ik leg het aan met Seans vriend. Dat moet hij wel merken. Het zal misschien wat tijd kosten om van Alex naar Sean te manoeuvreren, maar dan is de eerste stap tenminste gezet. Sean gaat inzien dat ik geen klein kind ben. Als ik volwassen genoeg ben om met zijn vriend Alex te gaan, dan ben ik ook volwassen genoeg voor hem.'

Ze ging voor Lina staan voor inspectie. Alles werd in orde bevonden. 'Zet hem op,' zei Lina.

'Hé, Lina.' Walker kwam op zijn coole-jongensmanier aanlopen. 'Zin om te dansen?'

Lina keek naar Mads, die haar zo ongeveer de dansvloer op duwde. 'Waarom dans je niet met ons mee?' vroeg ze.

'Ja, Mads,' zei Walker. Hij nam hen allebei bij de hand en liep de dansvloer op met hen. 'Kom op. Dit is zo'n goed nummer.'

Ze dansten met zijn drieën op OutKast. Mads manoeuvreerde hen zo dat ze bij Sean in de buurt kwamen. Het was nu druk op de dansvloer, iedereen was aan het dansen, met of zonder partner, maar het was overduidelijk dat Sean met het blonde meisje danste.

Toen Mads van Lina wegdraaide, danste ze ineens oog in oog met Alex. Grijnzend greep hij haar hand en liet haar ronddraaien. Mads lachte verrukt. OutKast ging over in de Neptunes, en Alex liet haar niet los. Mads danste zo sexy als ze kon, en Alex lachte.

Ze bleven doorgaan, het ene nummer na het andere, tot Mads niet meer wist waar Holly of Lina was, of Sean zelfs. Ze was met

Alex in hun eigen kleine danswereld, heet en bezweet. Net toen ze dorst begon te krijgen en overwoog even te stoppen om iets te drinken, dook er een bleek gezicht met een rechte pony erboven in haar blikveld op. Getver Gilbert.

'AAAAAAH!' krijste ze.

'Hoi, Madison!' Gilbert zag er op zijn goorst uit in een erwtengroen shirt, waardoor zijn huid nog ziekelijker bleek leek.

Alex gaf hem een zet met zijn elleboog. 'We zijn hier aan het dansen, man.' Godzijdank voor Alex. Alleen al door dat gebaar zou ze verliefd op hem kunnen worden, dacht Mads.

Ze danste verder, omdat ze nu niet meer durfde te stoppen om iets te gaan drinken. Dan zou Gilbert van de gelegenheid gebruik kunnen maken en zou Alex kans krijgen ervandoor te gaan. Ze deed haar best Gilbert buiten te sluiten, maar hij bleef met wild zwaaiende armen en benen om haar heen hangen. Zijn ene arm vloog omhoog en raakte haar per ongeluk op haar achterhoofd.

'Au!' riep Mads. Ze wreef op haar hoofd.

'Ken je die knul?' vroeg Alex.

'Niet echt,' antwoordde Mads. 'Laat ons met rust, Gilbert!'

'Mag ik het overnemen?' vroeg hij. Hij had zo'n dikke huid dat zelfs een stoomwals hem niet had kunnen tegenhouden. Hij werkte zich tussen Mads en Alex in en liet zijn armen en benen als spaghetti in het rond slingeren.

Mads gaf het op. 'Zullen we iets gaan drinken?' vroeg ze aan Alex.

'Best.'

Ze liepen weg, zodat Gilbert een paar seconden in zijn eentje danste. Toen hij doorkreeg dat hij in de steek was gelaten, kwam hij hen achterna naar de tafel met drinken. Hij haalde een flacon uit de zak van zijn jasje en zwaaide daarmee onder Mads' neus. 'Zal ik je Sprite een beetje oppeppen, Mads?' bood hij aan terwijl hij de dop eraf schroefde. 'Er zit meloenlikeur in. Eigenlijk wou ik wodka, maar mijn moeder drinkt alleen meloenlikeur. Die doet ze in haar dieetsapjes.'

'Nee, dank je.' Alex stond de zaal rond te kijken. Zijn aandacht dwaalde af. Nee! Ze moest zijn interesse vasthouden. Ze moest van Gilbert af zien te komen.

Aan de andere kant van de aula waren meneer Welling en enkele leden van de feestcommissie een tafel met pizza's aan het klaarzetten. Er vormde zich al een hele rij leerlingen die op een punt wachtten.

'Als jij eens wat pizza voor ons haalde, Gilbert?' vroeg Mads. Daar zou hij wel een tijdje mee zoet zijn. De rij groeide snel. Misschien konden Alex en zij ertussenuit knijpen voor hij terugkwam.

'Oké, Madison,' zei Gilbert. 'Je zegt het maar. Ha, ze hebben ook knoflookbroodjes. Lust je knoflookbroodjes?'

'Ja hoor, mij best,' zei Mads. 'Ga nou maar in de rij staan voor die te lang wordt.'

Gilbert holde weg, en Mads zuchtte van opluchting. Toen hij achteraan in de rij stond, keek hij om en zwaaide naar haar.

Alex legde zijn hand tegen haar rug. Dat leek haar een bemoedigend teken.

'Kunnen we hier niet een poosje weg?' vroeg ze.

'Tuurlijk,' zei Alex. 'Kom op, dan gaan we naar mijn auto.'

'Perfect.' Daar zou Gilbert hen nooit vinden. Hoewel, met Gilbert wist je dat maar nooit, maar het zou in elk geval een tijdje duren.

Alex en Mads liepen de aula uit. Lina zag hen wegglippen. Ze keek even naar Holly en Rob, die nog steeds als gekken aan het dansen waren. Lina wilde dat zij meer in de stemming was om te dansen. Maar het was moeilijk om het leuk te hebben op een feest als je vriendinnen met andere dingen bezig waren en degene van wie je hield zo dichtbij en tegelijkertijd zo buiten je bereik was.

'Zin in pizza?' vroeg Walker.

'Nee, dank je,' zei Lina. Walker was aardig, dat wist ze wel.

Maar op de een of andere manier lukte het haar niet haar aandacht bij hem te houden. Ze danste met hem, ze luisterde als hij iets zei, maar intussen hield ze steeds een half oog op Dan. Ze zag Dan een stapel lege pizzadozen naar de afvalbak dragen, en keek weer naar de dansvloer. Al die wriemelende lijven, die flitsende verlichting, de luide muziek maakten haar opeens duizelig en gedesoriënteerd.

'Ik moet naar de wc,' zei ze tegen Walker. 'Ik ben zo terug.'

Ze glipte naar buiten en leunde in de stille gang tegen de koele tegelwand. Wat mankeerde haar? Waarom kon ze zich niet gewoon laten gaan en van het feest genieten?

De deur naar de aula ging open en er kwam een golf lawaai de gang in die weer gedempt werd toen de deur dichtzwaaide. Lina keek die kant op. Dan kwam naar buiten, zag haar en glimlachte.

'Hé,' zei hij en hij kwam naar haar toe lopen. Hij leunde tegen de wand, net als zij, en voelde aan een zak van zijn jasje. 'Ik dacht dat ik wel even kon ontsnappen om een sigaret te roken, maar ik vrees dat jij me betrapt hebt.'

'Ik zal het niet verklappen,' zei Lina. Zodra ze hem zag sloeg haar hart op hol en werd haar hoofd wazig. Ze deed haar best om het helder te houden, zodat ze niets stoms zou zeggen.

'Wat doe jij hier buiten?' vroeg Dan. 'Ik zag je daarstraks dansen. Zo te zien vermaakte je je prima.'

'Valt wel mee,' zei Lina. 'Ik bedoel, ja. Ik weet niet. Ik had gewoon behoefte aan een pauze.'

'Ik snap wat je bedoelt.' Hij haalde een sigaret uit zijn zak, rolde hem tussen zijn vingers heen en weer en stopte hem weer terug. 'Ik vond zo'n feest altijd vreselijk toen ik nog op school zat. Ik voelde me altijd zo'n hark. Ik kan totaal niet dansen. Nog steeds niet.'

Lina glimlachte, maar onwillekeurig vroeg ze zich geschrokken af of hij haar ook een hark vond. Misschien vond hij harken juist leuk. Nee, doe niet zo stom, zei ze tegen zichzelf. Niemand vindt harken leuk.

'Ik ben vanavond gewoon niet zo in de stemming, geloof ik,' zei ze. 'Ik wist niet dat je rookte.'

'Zo af en toe,' zei hij. 'Ik weet niet, misschien is het alleen maar een excuus om daar even weg te kunnen.' Hij lachte even, een samenzweerderig lachje, alsof ze in hetzelfde schuitje zaten, vluchtelingen van een gruwelijk bal. Van dat lachje voelde Lina zich opeens zo gelukkig dat ze het liefst haar hoofd in haar nek had gegooid om het uit te schreeuwen.

Er galmden een luide stem en hoog gegiechel door de gang. Autumn, Rebecca en Claire kwamen terug van de wc. Ze lieten hun stem zakken en keken even naar Lina en Dan toen ze langs hen liepen en de deuren naar de aula door gingen. Weer dreunde en vervaagde de muziek.

'Nou, ik geloof dat ik weer eens naar binnen moet,' zei Dan. 'Misschien moet ik die sigaret maar vergeten. Ik wil geen moeilijkheden krijgen.'

'Oké.' Lina wist niet wat ze anders moest zeggen. Ze probeerde iets geestigs of diepzinnigs te bedenken, maar zoals gewoonlijk lieten haar hersens haar in de steek. Ze duwde de teen van haar laars tegen de glanzend gepolijste vloer.

'Maar jij vermaakt je verder toch wel, hè?' vroeg Dan terwijl hij zich van de muur losmaakte. 'Ik bedoel, er is toch niks mis, hè?'

'Nee!' Lina schudde overdreven geanimeerd haar hoofd. 'Alles is prima. Echt waar. Ik wou zo ook weer naar binnen gaan. Ik wou hier alleen eventjes, nou eh, gewoon staan...'

'Oké. Goed. Nou, dan zie ik je binnen wel weer.' Hij tikte tegen de rand van zijn hoed bij wijze van groet en ging weer naar binnen. Lina sloot haar ogen en drukte haar achterhoofd tegen de muur. O lieve god. Hoe kon hij toch zo aantrekkelijk zijn? Ze kon er haast niet meer tegen!

Ze wilde dat Mads terugkwam. Ze moest iemand vertellen wat er zojuist was gebeurd. Ze moest alle details van dat gesprekje uitpluizen, de betekenis van elk woord en elk gebaar. Hij was bezorgd om haar! Hij wilde zeker weten dat er niets met haar was! Het was fantastisch!

Flirtte hij met haar? Zond hij haar een signaal? Lina kon nog steeds niet geloven dat hij haar zelfs maar voldoende had opgemerkt om bezorgd om haar te zijn. Misschien hield hij haar de hele avond al in het oog! Hij zei dat hij haar had zien dansen! O god! Lina kon zich haast niet meer beheersen. Ze wist echt niet hoe ze nu nog terug naar binnen zou kunnen gaan en beleefde belangstelling voor Walker zou kunnen voorwenden. Maar wat moest ze anders? Ze rende de gang door naar de wc. Toen rende ze naar de aula terug. Ze zou Holly meesleuren, een paar minuten maar, en met haar naar de wc gaan. Ze moest het aan iemand vertellen!

'Hé, Safran, vermaak je je een beetje?' Jake, met twee voetbalmaatjes en een paar meisjes op sleeptouw, trof Holly en Rob op de rand van het podium zittend aan. Ze namen even pauze, dronken wat en keken naar het dansen.

'Want als je dat nu nog niet doet, komt dat straks wel,' zei Jake op hatelijke, insinuerende toon. 'Heb ik gelijk of niet? Nou?'

Holly hoefde Jake maar te zien of ze kreeg al een zure smaak in haar mond. Hoe had ze hem ooit aardig kunnen vinden? Wat een hufter was het toch!

'Hoe zou jij dat weten, Jake?' beet ze hem toe. 'Als jij je wilt vermaken, ga je thuis met je kussen zitten knuffelen.'

'Jij had het een paar weken geleden anders heel goed naar je zin bij mij,' zei hij. 'Je kon er geen genoeg van krijgen.'

Holly kon haar oren niet geloven. Die durfde! Om zo te liegen waar zij bij was. Terwijl hij wist dat zij wel beter wist. Hij dacht zeker dat ze te timide was om hem tegen te spreken. Maar dan vergiste hij zich toch.

'Vreemd, hoor, daar herinner ik me niks van,' zei ze. 'Maar ja, ik kan ook moeilijk weten wat jij *in je dromen* allemaal ziet!'

'Bingo!' schreeuwde iemand.

Rob pakte Holly's hand en trok haar mee. 'Kom op,' zei hij. 'Voor jullie elkaar te lijf gaan.'

'Dat moet toch genoeg zijn om hem zijn mond te laten houden,' sputterde Holly. Als ze met Rob samen was, vergat ze al dat Boezembabe-gedoe, en nou moest Jake het haar zo nodig weer onder de neus wrijven. En onder die van Rob. Ze zou wel eens willen weten hoe Rob eigenlijk over haar dacht. Geloofde hij haar, of geloofde hij Jake?

'Holly!' Lina kwam met stralende ogen op hen af rennen. 'Kom even mee naar de wc.'

Holly keek Rob aan. Het was wel duidelijk dat Lina iets kwijt moest wat niet voor jongensoren bestemd was.

'Ga maar,' zei Rob. 'Voor Jake er weer aankomt om nog meer op zijn donder te krijgen.'

Lina keek of ze het niet volgen kon, en daarom zei Holly: 'Jij vertelt jouw verhaal, en dan vertel ik het mijne.'

'Afgesproken.'

'Waar heb jij zo leren dansen?' vroeg Alex. Mads zat naast hem voor in zijn Toyota. Hij hield haar hand vast en wreef er zachtjes met zijn duim over.

'Vind je het leuk?' vroeg ze. 'Of juist stom?' Ze wist dat haar manier van dansen soms een beetje overdreven was, maar ze deed het niet slecht. Ze kon de verschillende delen van haar lichaam als een buikdanseres onafhankelijk van elkaar laten bewegen, en ze kon heupwiegen op een manier die sexy maar ook best grappig was.

'Nou en of vind ik het leuk,' zei Alex. 'En spannend.'

Mooi zo. Dit ging geweldig. 'Toen ik nog klein was, heb ik op ballet gezeten en zo,' zei Mads. 'Moderne dans. Daar leer je alle delen van je lichaam op verschillende manieren te bewegen.'

Ze leunde wat dichter naar hem toe, met haar lippen iets uit elkaar en binnen zoenbereik. Met resultaat. Hij trok haar hoofd naar zich toe en drukte zijn mond op de hare. Ze deed haar mond verder open en zijn tong kroop erin. Wauw. Hij kon goed zoenen.

'Mmm,' zei hij. Ze sloeg haar armen om zijn hals en schoof wat dichter bij hem. Hij sloeg zijn armen om haar heen en drukte haar tegen zich aan. Hij had sterke armen.

Hij hapte even naar lucht, zoende haar in haar nek en mompelde: 'Hé, Madison, jij bent echt lief...'

Ze zoenden opnieuw en kwamen steeds beter op gang. Dit is het, dacht Mads. Ik doe eindelijk wat ervaring op, met Seans vriend Alex! Het is wel geen Sean, maar het scheelt niet veel.

Hij wreef over haar rug en begon zijn hand in de richting van haar borsten te schuiven. Mads hoorde iets, alsof er werd geklopt. Ze reageerde niet, en Alex scheen het ook niet te horen. Maar daar was het weer, een knokkel op glas, luider nu. Nee hè. Er klopte iemand op het raampje. Laat het alsjeblieft Gilbert niet zijn, bad Mads.

Dat gebed werd in elk geval verhoord.

'Hé, Alex.' Het was Sean. 'Doe 's open! Kijk uit dat de ramen niet te veel beslaan!'

Mads en Alex lieten elkaar los. Alex draaide het raampje omlaag.

'Hé, man, wat zijn jullie daar binnen aan het doen?' vroeg Sean. Hij had het blonde meisje, Barton en Mo bij zich. Hij knikte naar Mads. 'Hoi, ukkie.'

Hij zag haar!

'Niks,' zei Alex. 'Wat is er?'

'Jane wil weg, en ik barst van de honger,' zei Sean. 'Ze hebben hier niks anders te eten dan die duffe pizza. Ga mee, dan gaan we een hamburger halen of zo.'

'Mij best,' zei Alex. Sean en de anderen maakten de portieren open en klommen in de auto.

Mads kon haar oren niet geloven. 'Heb je honger?'

'Ja. Jij niet dan?'

Eten was wel het laatste waar ze op dat moment aan dacht. Ze stapte uit om haar kleren recht te trekken. Mo sprong op haar plaats voorin. Er was geen ruimte meer voor haar in de auto.

'Wil je met ons mee?' vroeg Alex terwijl hij startte.

Mads zocht naar een plekje in de auto, maar hij zat vol. Ze zou er alleen nog bij kunnen als ze bij iemand op schoot ging zitten. En dat bood niemand aan.

'Nee, maar bedankt,' zei ze.

'Oké. Nou, ik zie je nog wel.'

Sean zat achterin met zijn arm om Janes schouders. 'Hé, ukkie, ik zie je wel op mijn feest volgende week zaterdag, oké?'

Feest? Hij nodigde haar uit voor een feest? Bij hem thuis?

'Best, tot dan!' riep ze.

Met de muziek keihard aan reed Alex weg, zodat Mads alleen terug naar binnen moest.

Had Alex haar zojuist gedumpt voor een hamburger? Ze wist dat jongens altijd honger hadden, maar dit was belachelijk.

Ze dacht aan de Dating Game en hun IMO-hypothese. Hoe kwamen ze op het idee dat jongens meer met seks bezig waren dan meisjes? Ze kon zich niet voorstellen dat ze ooit een jongen die ze leuk vond in de steek zou laten alleen om iets te eten. Nou ja, voor haar vaders zelfgemaakte aardbeienijs misschien... Nee, zelfs daarvoor niet. En trouwens, dat zou ze met die jongen delen.

Wat kon Alex haar trouwens schelen? Sean zelf had háár, Madison Markowitz, tiende klas, volgende week zaterdag op zijn feest gevraagd. Hij wilde echt dat ze kwam! Ze maakte vorderingen! Haar plan werkte!

In de aula stond Gilbert trouw op haar te wachten. Hij had twee borden vast, een met een stuk pizza en een met een berg hartige broodjes. Hij hield haar een bord voor. 'Knoflookbroodje?'

17 Fluweelschilderij met clown

Aan: linaonme

Van: Elke dag je horoscoop

Dit is je horoscoop voor vandaag: Kreeft: Je voelt je moedig en doortastend. Op dit moment ben je tot alles in staat. En daar is iedereen nou juist zo bang voor.

Lina staarde naar de inktvlektest die ze op de Dating Game website gebruikten. Wat zag zij erin? Een pizzakorst met tandafdrukken erin. Was dat het antwoord van een seksmaniak? Dat zou je misschien niet meteen zeggen, maar Lina wist dat het wel zo was.

Op het bal had ze Ramona een overgebleven stuk pizza van Dans bord zien pakken nadat hij het in de afvalbak had gegooid. En dat beeld kon ze niet uit haar hoofd krijgen: die afgehapte pizzakorst, zijn tandafdrukken en de restjes tomatensaus die er nog op zaten... Ramona had hem in haar tasje gestopt. Wat wilde de Dan Shulman-sekte daar in vredesnaam mee? En toch, diep vanbinnen, snapte ze wel waarom ze hem wilden hebben. Buh, wat was ze toch een zielenpoot!

Ze had nog steeds het gedicht dat ze had geschreven, 'Pedanterie'. Ze was moed aan het verzamelen om het hem te brengen.

Bij hem thuis. Als daarbij haar onverzadigbare nieuwsgierigheid naar hoe het er bij hem thuis uitzag werd bevredigd, nou, dan was dat mooi meegenomen.

Het was zaterdag, de dag na het schoolfeest. Lina stopte het gedicht in een envelop, plakte hem dicht, stapte op haar fiets en reed in de richting van school. Dan woonde een kilometer of drie voorbij de school in een oude woonwijk omringd door kleine bungalows. Ze was al eens eerder door die wijk gefietst, om de boel te verkennen. Ze kende Dans adres uit haar hoofd; dat stond in de schoolgids vermeld.

Voor zijn huis stopte ze. Het was een piepklein lichtgroen huisje van één verdieping, dat tussen een groepje bomen lag. Met haar voeten aan weerszijden van haar fiets op de grond bekeek ze het. Er liep een gebarsten betonnen pad naar de voordeur, die aan beide kanten door struiken werd ingesloten. Een haveloze oude Honda stond op de oprit onder een carport. Er was geen garage.

Plotseling werd Lina verlamd door angst. Wat zou hij doen als hij haar zag? Wat moest ze zeggen? O help, stel je voor dat hij niet alleen was. Dat hij een vriend op bezoek had. Of een meisje. Of zijn moeder. Woonde hij met iemand samen? Waarom moesten haar hersenen tot nu wachten voor ze dat bedachten?

Misschien was hij niet thuis, en kon ze het gedicht gewoon onder de deur door schuiven of in de brievenbus doen. Aan de ene kant hoopte ze vurig dat hij er niet was, maar tegelijkertijd wilde ze niets liever dan hem ontmoeten, om te zien hoe hij op haar reageerde.

Ze liep met haar fiets aan de hand naar de deur en zette hem tegen het zwarte ijzeren hek naast het trapje naar de voordeur. In gedachten repeteerde ze wat ze zou zeggen: Hoi, Dan, ik was zomaar wat aan het rondfietsen en... Hallo, dat had je niet verwacht, hè?... Eh, Dan, wist je eigenlijk wel dat jij het doelwit bent van een sekte van gothic meisjes die op dit ogenblik vermoedelijk een liefdesdrank voor je aan het brouwen zijn met behulp van een stuk pizza. Ik vond dat ik je maar even moest waarschuwen... Bah, niets leek geschikt!

Ze haalde diep adem en belde aan. Ze wachtte en luisterde, en hoorde een stoel over de vloer schuiven. Er was in elk geval iemand thuis.

De deur ging open en daar stond hij. Gekleed voor de zaterdag in een ouwemannenbroek en een buttondown overhemd uit de tweedehandswinkel. Hij was wel trouw aan zijn stijl.

'Lina!' Hij klonk verbaasd, maar waarom ook niet? 'Wat doe jij hier? Alles in orde?'

'Hoi, Dan. Nee, er is niks. Ik... eh...'

'Wacht, kom erin.' Hij ging opzij en deed de deur verder open zodat ze naar binnen kon. Ze kon haast niet geloven dat ze op het punt stond zijn huis in te gaan. Ze zette haar voet op de kleine mat in de deuropening. Nog een stap en ze stond op de houten vloer in zijn piepkleine halletje. Rechts zag ze een keuken met een ontbijtbar, en daarachter een kleine woonkamer. Van de inrichting kreeg ze nauwelijks een indruk, afgezien van de amateuristisch geschilderde clown op zwart fluweel die boven een wankel rood tafeltje in de hal hing.

Even verscheen er een gepijnigde blik – angst, consternatie, spijt, dat wist ze niet goed – op Dans gezicht, alsof hij opeens doorkreeg dat hij zojuist iets verkeerds had gedaan. 'En, wat brengt jou hier?' vroeg hij weer.

'Ik wilde je dit geven.' Lina gaf hem de envelop. Ze had hem zorgvuldig dichtgeplakt en er in haar mooiste handschrift *Dan Shulman* op geschreven. Hij nam hem aan en keek ernaar.

'O, oké. Dank je.'

'Het is een gedicht,' legde ze uit. 'Voor de *Vuurvlieg*. Ik wilde er zeker van zijn dat jij de kans kreeg het te lezen. Want die brievenbussen op school vertrouw ik niet, hoor, iedereen kan erin kijken en alles wat je erin legt lezen...'

'Ja, dat is zo, geen enkele beveiliging op die school,' zei Dan. 'Goed, Lina, leuk je even te zien. Ik zal dit meteen lezen, en dan laat ik je maandag op school weten wat ik ervan vind. Oké?'

Hij leek ontzettende haast te hebben om haar het huis uit te krijgen. Ze gluurde over zijn schouder op zoek naar een aanwijzing dat er nog iemand was, maar niets wees op de aanwezigheid van een derde persoon. Duh, dacht ze toen ze eindelijk snapte wat hem dwarszat. Hij durft niet alleen met een leerling in huis te zijn!

En nog minder als die leerling een meisje is! En al helemaal niet met een meisje dat hij aardig vindt, maakte ze zichzelf wijs.

'Zoals gezegd dus, ik beloof dat ik het lees en ik zal het niemand anders laten zien tenzij jij dat goedvindt.' Hij stak zijn handen uit naar haar schouders, alsof hij haar zachtjes in de richting van de deur wilde duwen, maar hield toen opeens in alsof hij zich bedacht. En hij wreef maar wat over zijn hoofd. Er verscheen een zweetdruppel bij zijn haargrens.

Lina wilde helemaal niet weggaan, maar ze wist dat ze het hem niet te moeilijk mocht maken. 'Bedankt, Dan.'

'Kom maandag maar even naar me toe,' zei hij. 'Dan hebben we het erover.'

'Oké.' Ze liep naar buiten en pakte haar fiets. 'Tot dan.'

'Dag.' Hij bleef haar nakijken tot ze het pad af was en op haar fiets zat, en zwaaide toen ze wegreed. Toen ze omkeek, was hij weer naar binnen en was de deur dicht.

Hij was zenuwachtig, dacht ze. Dat kon positief of negatief zijn, of niets met haar te maken hebben. Ze besloot het maar als positief te zien. En wat zou hij denken nadat hij haar gedicht had gelezen? Als hij wilde dat zij de volgende zet deed, had ze dat met dit gedicht gedaan.

Oké, Dan, dacht ze. Nu ligt de bal bij jou.

18 Sekstips voor meisjes

Aan: linaonme
Van: Elke dag je horoscoop

Dit is je horoscoop voor vandaag: Kreeft: Deze dag ziet er niet slecht uit, Kreeft, zolang je geen bezwaar hebt tegen een beetje pijn, met misschien wat teleurstelling erbij.

'Moet je nou kijken,' riep Lina vanaf haar bureau, waar ze de nieuwste Dating Game-vragenlijsten zat te sorteren en combinaties zocht. 'Autumn wil dat we haar aan een date helpen!'

'Kunnen we haar niet aan Gilbert koppelen?' zei Mads. 'Hij heeft iemand nodig die zijn aandacht van mij afleidt.'

'Sorry, Mads, maar dat kan ik niet doen,' zei Lina. 'Dat is tegen de Datingserviceregels. Regel 1: doe niemand kwaad.'

'Dat is onmogelijk,' zei Mads. 'Kwaad gebeurt. Risico hoort erbij als je mensen met elkaar in contact brengt. Dat is juist het leuke ervan.'

Lina, Holly en Mads zaten in Lina's grote slaapkamer, met het leeshoekje, de witte vloerbedekking en de ramen met uitzicht over de baai. Lina had er haar eigen badkamer bij en zelfs een schuifdeur die toegang gaf tot een beschut terrasje. Het huis waar ze woonde was chic. Dat vond Mads tenminste. Geen irritante broertjes of zusjes. Lekker schoon en diervrij. Aan drie kanten omgeven door bomen en aan de achterzijde uitzicht over het water. Het huis zelf, modern en gestroomlijnd, en gebouwd van licht hout en glas, be- stond uit maar één verdieping, maar was veel groter dan het leek.

'Als er Datingserviceregels bestaan zouden er ook Bloggersregels moeten zijn,' zei Holly. 'Geen leugens over je klasgenoten op je blog zetten, Miss Nuclear Autumn. Wat voor griezel ze ook krijgt, ze verdient niet beter. Probeer Jake eens.'

'Toe nou, één date met Gilbert, dan is ze vast genezen,' zei Mads.

'Gilbert gaat heus niet met haar uit, en dat weet je,' zei Lina. 'Hij houdt van jou en van niemand anders.'

'Heb ik even geluk. Gilbert mag me omdat hij de enige op school is wiens liefdesleven nog minder voorstelt dan het mijne.'

'Overdrijf niet zo, Mads,' zei Holly. 'Je laat je veel te veel opjutten door dat idee dat je ervaring moet hebben. Wat maakt dat nou uit? De een heeft al wat meer gerotzooid dan de ander. Nou en?'

'Dat kun jij makkelijk zeggen,' zei Mads. 'Jij bent de Boezembabe. Nooit iemand die weigert met jou uit te gaan omdat je te jong bent. Mijn zelfvertrouwen heeft het zwaar te verduren. Ik stel me beschikbaar, ik probeer een sexy image te creëren, en wat levert het op? Niks. Jongens gaan liever naar de snackbar dan dat ze met mij vrijen. Godzijdank dat Sean me voor zijn feest heeft uitgenodigd! Want anders zou ik nu niet weten waar ik het zoeken moest.'

Ze trok een bakje vanilleyoghurt open en lepelde er wat van in haar mond. 'Ik ben benieuwd waar we op Seans feest over zullen praten,' zei ze.

'O, dat wordt vast een diepzinnig gesprek,' zei Holly. 'Sean en zijn vrienden staan vast op het punt een alternatieve energiebron te ontdekken.' Ze zweeg even en zei toen: 'Ik ben benieuwd of Rob mij mee naar dat feest gaat vragen.'

Na het schoolfeest die vrijdagavond waren ze naar Harvey's Carry-Out gereden voor milkshakes, en toen had Rob haar thuis afgezet. Ze namen met een zoen afscheid, maar verder gingen ze niet. Het was al wel laat, maar Holly vroeg zich toch af of Rob door dat gepest van Jake op haar afgeknapt was of ervan geschrokken was of zo. Of misschien wachtte hij gewoon op een beter moment om haar te bespringen.

Holly raapte een *Cosmo* op die naast Lina's bed op de vloer lag. De cover beloofde te onthullen 'Hoe je een man gek maakt'.

'Oeh, dat heb ik gelezen,' zei Mads toen ze het tijdschrift in Holly's hand zag. Ze plofte naast haar op het bed en Lina kwam er ook bij zitten. 'Daar staan me toch een paar rare dingen bij. Kijk, deze bijvoorbeeld: "Laat je vingernagels groeien en maak daar sexy ronddraaiende bewegingen mee over zijn rug." Ik weet niet, hoor, jongens lijken altijd veel te haastig voor zulke dingen.'

'Misschien krijgen ze wat minder haast als ze ouder worden,' zei Lina.

'Bedek je hele lichaam met chocolade of slagroom en laat hem het aflikken,' las Holly voor. 'Dat zou in een auto nogal een troep worden.'

Mads lachte. 'Daar heb je dat eten weer. Ze kunnen beter aanraden je hele lichaam vol hamburgers te leggen en je dan door hem als bord te laten gebruiken.'

'Voeten zijn sexy,' las Lina voor. 'Ga met je voeten vlak bij zijn hoofd liggen en laat hem je tenen likken.'

'Moet je die Zoentips zien,' zei Mads. 'Laat je tong langs zijn tanden gaan. Als je hem echt gek wilt maken moet je eens proberen aan zijn lippen te knabbelen.'

'Aan zijn lippen knabbelen?' zei Lina. 'Zou dat echt werken?'

Mads haalde haar schouders op. 'Wie weet?'

'Ik geloof niet dat ik zou willen dat er iemand aan mijn lippen knabbelde,' zei Lina. 'Hij is toch geen konijn. Maar als het de goeie jongen was, zou ik het denk ik niet erg vinden.'

Onwillekeurig stelde ze zich voor hoe het zou zijn als Dan aan haar lippen knabbelde, maar dat beeld werd haar bijna te veel, en ze onderdrukte het met een stuk chocola. Hij zou haar gedicht nu wel hebben gelezen. Wat zou hij ervan vinden? En wat belangrijker was: hoe zou hij erop reageren?

'Goed. Dat gedicht van jou.'

Lina zat op de redactie van de *Vuurvlieg* tegenover Dan aan het bureau. Hij had haar gedicht voor zich liggen. Ze greep met haar zweterige rechterhand naar haar zweterige linkerhand, maar ze waren allebei zo vochtig dat ze slipten en als klei van elkaar gleden.

'Het… het is een goed gedicht,' zei Dan. Lina wachtte tot hij verderging, maar hij staarde alleen maar naar het gedicht en zei niets. Daarom zei ze: 'Dankjewel.'

'Ik zou je werk heel graag in de *Vuurvlieg* publiceren,' zei hij. 'En ik weet zeker dat Carrie en Ramona en de andere redactieleden het daarmee eens zouden zijn.'

Ha, dacht Lina.

'Maar dit gedicht heb ik hun niet laten zien, en dat ga ik niet doen ook. Ik denk dat je wel snapt waarom. Eh, als we dit publiceren, zou het wel eens een hoop, eh, praatjes kunnen veroorzaken en, eh, daar zit je vast niet op te wachten, hè?'

Hij was net zo nerveus als zij, dat was wel duidelijk. Maar wat betekende dat? Lina voelde een vlaag van zelfvertrouwen. Ze bezat de macht hem nerveus te maken!

Maar als ze heel eerlijk was, zag ze ook in dat ze het gedicht niet had geschreven met het doel dat het gepubliceerd zou worden. Ze had het voor hem geschreven, voor hem alleen. Wat onvoorstelbaar wijs van hem om dat te begrijpen.

'Nee,' zei ze. 'Ik wil niemand in moeilijkheden brengen, als je dat bedoelt.'

Hij grinnikte alsof hij zich niet op zijn gemak voelde. 'Juist ja. Dan geef ik je dit maar terug, dan kun jij het bewaren.' Hij gaf haar het gedicht. 'Je schrijft goed, Lina, dat is het niet. Maar, eh, ik denk, eh, dat dit maar beter iets tussen ons kan blijven.'

Ze pakte het gedicht aan. Onderaan was Dan, met de rode pen waarmee hij werkstukken nakeek, een briefje aan haar begonnen. Lieve Lina, stond er, maar toen had hij het weer doorgestreept.

Lieve Lina. Was dat als de gebruikelijke aanhef van een brief bedoeld? Of vond hij haar echt lief?

'Dus hou jij dat nu maar bij je, en schrijf meer gedichten!' zei hij. 'Alleen, eh, niet over mij. Ik bedoel, je mag natuurlijk schrijven waarover je maar wilt, vrijheid van meningsuiting en zo, maar je kunt misschien beter niet, je weet wel, mijn, eh, naam gebruiken.'

Dus hij begreep het. Ze wist wel dat het eigenlijk nogal opvallend was, de kunstgreep die zij had toegepast, waarbij de beginletters van de regels 'I love Dan' vormden. Maar dat kon op iedere Dan slaan. Dan Morgenstern, de klassenvertegenwoordiger van de twaalfde klas. Danny Dortmunder, een onopvallende sukkel bij haar in de klas. Danny DeVito zelfs, al was dat wel vergezocht. Maar nee. Hij wist wie zij bedoelde. Dan Shulman. De enige echte Dan.

'Ik begrijp het.' Ze stond op om te gaan.

'Mooi. Mooi. Daar ben ik blij om.' Hij leek opgelucht. 'Oké. Dus alles is goed zo?'

'Uh-huh.'

'En, eh, wij begrijpen elkaar?'

'Ja, ik geloof het wel.'

'Mooi. Oké. Tot ziens dan maar, Lina.'

Toen ze wegliep klapperde het gedicht in haar trillende handen. Nu begreep ze het. Natuurlijk. Dit was gevaarlijk voor hem. Hij mocht niet openlijk laten merken wat hij voor haar voelde. Hij vond haar aardig. Ze wist bijna zeker dat hij haar aardig vond. Maar dat kon hij niet openlijk zeggen. Daarom draaide hij eromheen. Hij gebruikte eufemismen als 'Ik vind dat je goed schrijft' en 'Dit kan beter iets tussen ons blijven'. Iets tussen ons, alsof ze twee minnaars met een geheim waren!

Dus dat zou het blijven, een geheim, zolang ze het volhield.

19 Wat voor kleur tandenborstel heeft hij?

Aan: mad4u
Van: Elke dag je horoscoop

Dit is je horoscoop voor vandaag: Maagd: Iedereen vindt je vandaag bedwelmend. Hoog tijd om ze weer nuchter te laten worden.

'Zie ik er echt niet te excentriek uit?' vroeg Mads terwijl ze uit de gele Volkswagen stapte. Zaterdagavond, en in het grote statige huis waar Sean woonde was het feest al in volle gang. Alle lampen aan, de straat vol auto's en het grasveld vol mensen die op het huis af liepen. Alleen al door het aantal gasten en het volume van de muziek wist Mads dat Seans ouders dat weekend niet thuis waren.

Ze had zich voor het feest uitgedost in rode pumps met hoge hakken, haar laagste jeans en een rood overslagtopje. Daar was niks mis mee, Holly had net zoiets aan: laarzen, jeans en een sweater met rits. Lina droeg een vlot oranje mini-jurkje uit de tweede-handswinkel, waarvan haar moeder de stuipen kreeg. Sylvia geloofde niet in het dragen van andermans oude kleren.

Maar haar kleding was niet waar Mads zich druk om maakte, het was haar haar. Om er wat opvallender uit te zien had ze weer eens geprobeerd – of liever gezegd: Audrey laten proberen – haar fijne haar wat meer volume te geven. Nu bolde het als een zwarte wolk om haar hoofd.

'Je ziet er echt leuk uit,' zei Lina. Mads fronste haar wenkbrauwen. Leuk was niet wat ze voor ogen had. 'Sexy bedoel ik,' zei Lina. 'Je ziet er sexy uit.'

Mads keek naar Holly voor bevestiging. 'Sexy,' zei ook Holly. En dat was ook zo, afgezien van dat haar. Holly haalde haar borstel uit haar tasje en probeerde Mads' haar wat platter te maken.

'Sean begint vast te kwijlen als hij je ziet,' zei Lina.

Het huis stond boven op een heuveltje. Ze klommen de trap naar de voordeur op, waar een man of zes rondhing. Holly keek rond naar Rob, maar hij was er niet bij. Mads had Holly om een lift gesmeekt, en daarom hadden Rob en Holly afgesproken elkaar bij Sean te ontmoeten.

Ze gingen naar binnen. 'Mooi huis,' zei Mads. Ze had haast niet kunnen wachten tot ze zag hoe het er bij Sean thuis uitzag, en het was er nog chiquer dan ze zich had voorgesteld. Het leek wel door een interieurarchitect ingericht, met de wanden in verschillende tinten zachtpaars geverfd en een mix van moderne, antieke en Aziatische meubels die zorgvuldig gearrangeerd in de ruime kamers stonden.

De meisjes zagen elfde- en twaalfdeklassers die ze wel van gezicht kenden, maar niet goed genoeg om mee te praten. Jane, het blonde meisje met de lange benen dat Sean op het schoolbal bij zich had gehad, hield hof in de eetkamer, waar ze met een glas in haar hand boven op tafel zat. Zo te zien liepen er veel leerlingen van andere scholen rond. Sean had bakken chips, salsa en M&M's klaargezet in de woonkamer, en naast het gebruikelijke bier schonk hij screwdrivers.

'Ik kijk ervan op dat Sean de moeite heeft genomen iets te eten neer te zetten,' zei Lina.

'Ja,' vond Holly. 'Dat lijkt meer iets voor een meisje.'

Mads wierp hun een vuile blik toe. 'Misschien is hij gewoon een goede gastheer. En trouwens, ik vind die vrouwelijke kant van hem wel leuk.'

Hij kwam net met een rondje screwdrivers, twee in elke hand, de keuken uit. Terwijl hij ze aan Janes vriendinnen uitdeelde, knikte hij naar Mads.

'Hoi, Sean,' zei ze. Ze nam de houding aan die ze de hele middag voor de spiegel had staan oefenen: met haar rechterheup uitgestoken en pruillippen.

'Hoi, ukkie. Leuk dat je er bent.' Hij grinnikte naar haar. Wauw. Hij vond het leuk dat ze er was! Mads deed haar best iets te bedenken waarmee ze hem aan de praat kon houden. Iets als: 'Ik had het voor geen goud willen missen.' Nee, te stijf. 'Ik kom maar even langs, op weg naar de andere tien feestjes waarvoor ik ben uitgenodigd.' Hmm, niet erg geloofwaardig. 'Ik weet wel dat mijn haar eruitziet alsof ik met mijn vingers in het stopcontact heb gezeten, maar maandag zit het weer normaal.' Nee, vast geen goed idee, om de aandacht op haar haar te vestigen.

Jane was haar voor met: 'Sean, haal je een biertje voor Tessa?' en hij verdween de keuken weer in. Te laat. Maar Mads wist zeker dat ze voor het eind van de avond nog wel een kans zou krijgen.

'Kom op, dan gaan we wat te drinken halen,' zei Holly, in de hoop Mads af te leiden van die vroege nederlaag.

'Goed idee,' zei Mads. 'Misschien is Alex in de keuken.'

Alex was in de keuken, net als het grootste deel van de feestgangers. Holly ontdekte Rob bij de koelkast en zwaaide. Hij haalde er vier biertjes uit, voor hen allemaal een.

'Dankjewel,' zei Holly. Ze gaf hem een zoen op zijn wang.

'Bedankt, Roberto,' zei Mads. Zwierig liep ze naar de keukentafel, waar Alex zat met Mo en Jen.

'Hé, daar heb je het ukkie!' zei Alex. 'Kom erbij zitten.' Hij schoof zijn stoel achteruit zodat Mads bij hem op schoot kon komen zitten. Ze aarzelde; bij hem op schoot zitten leek wel erg kleinemeisjesachtig, maar aan de andere kant kon het ook flirterig zijn. Ze besloot dat het flirterig was en ging met haar arm om zijn nek zitten.

'Mo en Jen ken je wel, hè?' vroeg Alex.

'Hoi. Ik ben Madison.'

'Hoe oud ben jij, twaalf?' vroeg Jen.

'Jen...' Mo gaf haar een duwtje.

'Ze moet minstens in de negende klas zitten, toch, uk?' zei Alex. 'Want je was op het winterbal en zo.'

'Ik zit in de tiende,' zei Mads.

'Wauw, wat ben jij dan klein,' zei Jen.

'Je-en,' zei Mo.

Mads voelde zich beledigd. Waarom moest Jen haar zo hebben? Misschien had ze ook een oogje op Alex.

'Laat haar met rust, Jen,' zei Alex. 'Wat drink jij? Bier? Hoe zit het, lust je geen screwdrivers?'

Mads had nog nooit in haar leven een screwdriver op, al had ze wel eens wodka met cranberrysap gedronken, en dat was best lekker.

'Die lust ik best, hoor,' zei ze.

'Kom op dan, dan gaan we er eentje voor je halen,' zei Alex. 'Ik wil er ook nog wel een.'

'Breng er voor mij ook eentje mee,' zei Jen.

Maar Alex haalde er geen voor Jen. Mads en hij waren Jen meteen vergeten. Hij mixte een paar sterke screwdrivers, met behoorlijk veel wodka, en liep met Mads naar de woonkamer.

'Hé, hoe was die hamburger die jullie vorige week gingen halen?' vroeg Mads.

'Wat?' Hij had geen idee waar ze het over had, en Mads liet het maar zo. De screwdriver was heel lekker. Je proefde nauwelijks wodka. Mads dronk hem op en Alex haalde een nieuwe voor haar. Ze voelde een prettige lichtheid in haar hoofd. Daar ging ze zich dwaas en dapper van voelen. Niet geïntimideerd door Alex of Jen of Sean of wie dan ook. Ze kon zeggen wat ze wilde. En Alex scheen alle woorden die uit haar mond kwamen even schattig te vinden.

'Vind jij het meisjesachtig dat Sean chips en zo voor ons heeft neergezet?' vroeg ze aan Alex. Ze zaten er samen op de bank in de woonkamer tussen vijf anderen ingeklemd van te eten. Mads stak haar hand in de bak en propte een paar chips in haar mond.

'Helemaal niet,' zei Alex. 'Hij zorgt voor zijn vrienden. Als hij nou worteltjes en zo had neergezet, dat zou pas meisjesachtig zijn.' Hij kauwde op een chip. 'Oké, laat je levensverhaal maar eens horen, ukkie. Dat is vast lekker kort.'

'Hoor eens, ik heet geen ukkie, ik heet Madison,' zei Mads.

'Weet ik wel, maar ik vind het leuker om ukkie te zeggen. Dat vind je toch niet erg, hè?'

Ze begon het zelfs wel prettig te vinden. 'Hoe zal ik jou dan noemen? Baby? Al?'

'Wat jij het lekkerst vindt, ukkie.'

'Hoor eens, weet jij soms hoe Sean verder heet?'

'Nee,' zei Alex. 'Hoe moet ik dat weten? En trouwens, daar heeft hij het niet graag over.'

'O? Waarom zou dat zijn?'

'Het zal wel iets stoms zijn. Dat kan iedereen gebeuren. Goed, levensverhaal. Je bent geboren...'

'Ik ben geboren in Berkeley, bla bla bla. Waarom vertel je me het jouwe niet?'

'Oké, ik ben geboren in San Francisco, en ik wou dat we daar nooit waren weggegaan. Heb jij ook niet de pest aan dit smerige gat?'

'Ik vind het mooi hier,' zei Mads. 'Maar ik hou ook van de grote stad.'

'Tuurlijk is het mooi, maar het is hier zo sááí!' zei Alex. 'Geen greintje spanning.'

'Nou, jij zit toch in de twaalfde? Dus je hoeft niet lang meer te blijven. Waar wil je gaan studeren?'

'NYU, als ik toegelaten word. New York, daar gebeurt het allemaal.'

'Ik ben er nog nooit geweest. Mijn vriendin Holly wel. Volgens haar is SF vergeleken met New York echt een dorp.'

'Zo is dat. SF is best cool, maar het is maar tweederangs.'

'Hé, dat rijmt een beetje, lijkt het wel.' Mads liep een stukje achter in het gesprek. 'Vergeleken met New York is SF net een dorp.'

'En jij bent geschift. Ik zal nog wat te drinken voor je halen. O, wacht, daar is Sean.' Hij stak hun plastic glazen in de richting van Sean, die door de wirwar van benen waadde en een meisje op haar kop gaf omdat ze geen asbak gebruikte. 'Sean! Bijvullen!' riep Alex.

'Kom op, zeg, ik ben verdomme geen ober,' zei Sean. Hij keek Alex nijdig aan. Mads maakte van de gelegenheid gebruik door Alex' hand op haar bovenbeen te leggen, om Sean jaloers te maken. Sean leek het niet te zien. Weg gelegenheid. Maar eigenlijk kon dat haar niet eens veel schelen. Het leek veel belangrijker om een nieuwe screwdriver te pakken te krijgen en dat bruisende gevoel in haar hoofd vast te houden.

Alex keek haar grinnikend aan, kneep in haar been en haalde zijn schouders op. 'Jeetje, wat een chagrijn. Ik ben zo terug.'

Mads zag Lina en Holly bij de voordeur met Rob staan praten. Rob leunde dicht naar Holly toe. Ze leken wel een stelletje. Zet hem op, Boezembabe, dacht ze. Zo te zien staat haar vanavond nog wel wat te wachten. Maar hoe zit het met Lina?

De voordeur ging open en Jake kwam binnenlopen. Uh-oo… problemen? Maar laat dat maar aan Holly over, ze bleef cool. Ze knikte naar Jake en zei hoi, en praatte toen weer met Rob verder. Jake bleef nota bene enkele ogenblikken om hen heen draaien, alsof hij ergens op wachtte of zo. Ze negeerden hem. Ten slotte zei Lina iets tegen hem en wees naar de keuken. Mads meende een woeste blik op Jakes gezicht te zien. Wat een eikel. Hij behandelt Holly als vuil en verwacht dan dat ze om meer komt bedelen?

Ha, daar was Alex, met vier glazen. 'Sean is bijna door de wodka heen, daarom heb ik er voor ons allebei maar twee meegebracht,' zei hij.

'Slim,' wilde Mads zeggen, maar het klonk meer als 'schlim'. Ze giechelde.

Toen Walker binnenkwam, was Lina of ze wilde of niet opgelucht. Rob en Holly waren heel aardig, zoals ze haar bij hun gesprek betrokken en zo, maar je kon duidelijk merken dat ze alleen maar oog voor elkaar hadden, en Lina vond hun verliefde geheimtaal maar saai. Verder waren er geen vriendinnen van haar op het feest, behalve Mads, en die zat druk te giechelen en zich te bezuipen met Alex.

Lina begon dat gevoel weer te krijgen, alsof ze boven de kamer zweefde en toekeek hoe alle anderen lol hadden, maar zonder zelf mee te doen. Op een vreemde manier was het feest van een afstandje interessanter. Alsof ze door onzichtbaar boven hun hoofden te zweven kon zien wat er in werkelijkheid school achter al die banaliteiten en onzin die iedereen uitkraamde. Ze deed net of ze het feest door Dans ogen zag, neutraal en analytisch, als een volwassene. De meesten werden al aardig dronken, en veel zinnigs kwam er niet meer uit.

Lina liep achter Walker aan naar de keuken voor een nieuw flesje bier. 'Ik wist niet dat jij ook kwam,' zei hij. 'Anders had ik je wel meegevraagd, maar ik dacht dat jij iets anders had.'

Lina was gevleid dat hij dacht dat ze zo'n druk sociaal leven leidde, en ze besloot hem maar in die waan te laten. 'Ach, ja. Mads en Holly wilden er graag heen...'

Walker tikte met de hals van zijn bierflesje tegen het hare om te klinken. 'En, hoe gaat het verder? Ik heb vandaag nog even op jullie blog gekeken. Daar kan dat "Nuclear Autumn" nog heel wat van leren. Wat vindt Danny boy ervan? Het was toch een IMO-project?'

Danny boy? 'Tot nu toe vindt hij het wel goed.'

'Ik zat een oud nummer van de *Ziener* te lezen, van afgelopen najaar, en daar stond een foto van jou in, met het hockeyteam. Jullie waren hartstikke goed dit jaar, zeven gewonnen en drie verloren. Ik wed dat jullie volgend jaar naar het schoolteam promoveren.'

'Dank je.'

Walker ging door over de meisjesbasketbalwedstrijd van de vorige week, maar Lina kon alleen maar aan Dan denken, aan zijn huis, haar gedicht met de woorden die hij erop had geschreven en weer had doorgestreept, en het geheim dat ze deelden. Ze wilde dat ze Walker erover kon vertellen, ook al wist ze best dat dat stom was. Hij zou vast hevig geschokt zijn. Het gaf Lina een fijn, warm gevoel te weten dat ze een schokkend geheim had en dat niemand dat vermoedde. Als ze wilde zou ze Walker met afschuw kunnen vervullen. Die macht bezat ze. Ze koos er alleen voor die niet te gebruiken. Zoiets kon een doodgewone jongen als Walker niet aan.

'Hé. Nooit gedacht dat ik jóú hier zou zien.'

Lina keek om en zag een meisje dat het tegen haar had. Ze zag er heel bekend uit, maar het duurde toch even voor Lina haar kon plaatsen. 'Ramona?'

'Wat, herkende je me niet? Terwijl je me pas vijf jaar kent.'

Lina had nooit verwacht Ramona bij Sean thuis te zien, en wat nog verbijsterender was: Ramona was niet in haar gebruikelijke gothic uitrusting. Haar ravenzwarte haar zat in een paardenstaart en ze had nauwelijks make-up op, hooguit wat lipgloss. In plaats van haar gewone lange zwarte jurk droeg ze jeans en een T-shirt.

'Wat doe jij hier?' vroeg Lina.

'Ik woon hiernaast. Toen ik zag dat Sean een feestje gaf, vond ik dat ik maar eens een kijkje moest gaan nemen. En jij?'

'Sean had Mads uitgenodigd,' zei Lina. Ze zweeg even. Walker zei: 'Ik zie je nog wel, Lina,' en liep weg.

'Ik hoop niet dat ik je vriendje heb weggejaagd,' zei Ramona.

'Hij is mijn vriendje niet,' zei Lina. 'En trouwens, als je het me niet kwalijk neemt dat ik het zeg, maar je ziet er minder angstaanjagend uit dan anders.'

'Ik vind dat ik er juist enger uitzie dan anders,' zei Ramona.

'Maar weet je wel hoeveel tijd het kost om al die make-up op te doen? Soms heb ik er gewoon de puf niet voor. En zonder de make-up zijn die kleren ook geen gezicht.'

'Maar waarom doe je het dan?' vroeg Lina.

'Het is cool. En het ziet er mooi uit. Dat vind ik tenminste.'

Lina knikte alleen maar. Ieder zijn smaak.

'Goed. Wie ken jij hier eigenlijk?' vroeg Ramona na een korte, ongemakkelijke stilte.

'Niemand,' zei Lina. 'Alleen Walker en Holly en Mads. En Rob, zo'n beetje.'

'Dat is niet niemand.'

'Wie ken jij?'

'Alleen Sean. En jou. Maar Sean ziet mij nauwelijks staan. Mijn moeder kent zijn moeder, maar volgens mij weet hij niet eens hoe ik heet.'

'Ik krijg het gevoel dat hij slecht in namen is,' zei Lina.

Ze bleven nog een paar minuten zwijgend bij elkaar staan, midden tussen het feestkabaal. Ramona stak een sigaret op. Lina zuchtte. Holly had het druk met Rob, Mads had het druk met Alex, Walker was verdwenen, en daar stond ze nu, met Ramona. Het was idioot, maar ze was Ramona bijna dankbaar. Nu had ze naast Walker tenminste nog iemand om mee te praten. Of niet om mee te praten, blijkbaar.

'Nu ik er toch ben, kan ik net zo goed een biertje nemen,' zei Ramona. Ze trok de koelkast open en pakte een flesje. 'Zullen we buiten op de veranda gaan zitten kijken hoe die blowers zichzelf voor gek zetten?'

'Oké.'

Mads leunde met haar hoofd tegen de rug van de bank en staarde naar een gipsdecoratie op het plafond van de woonkamer. Hij werd vaag en toen weer scherp. Wauw. Ze was echt eerlijk waar bij Sean thuis! Het drong nu pas goed tot haar door. In het huis waar Sean woonde! Waar hij was opgegroeid en alles deed wat hij ook maar thuis in zijn eigen huis deed. Ze wilde niets liever dan een kijkje boven nemen. Hoe zag Seans kamer eruit? Had hij posters hangen? Wat voor kleur tandenborstel had hij?

'Hé, ukkie, je hebt je laatste glas nog niet leeg.' Alex keek in haar plastic glas.

Mads tilde haar hoofd op. Aan de overkant van de kamer was Sean met de stereo bezig. Hij draaide zich om en nam zijn gasten op, waarbij zijn blik heel even op Mads bleef rusten. Ze zwaaide naar hem. 'Superfeest!' gilde ze, maar de muziek stond zo hard dat hij het niet verstond.

'Wat?' riep hij.

Plotseling dook Jane op en stootte met haar heup tegen de zijne. Hij greep haar vast en zoende haar. Ze dansten wat samen. Sean keek niet meer om naar Mads om erachter te komen wat ze tegen hem had geroepen. Misschien maar goed ook. Het was toch maar een stomme opmerking.

'Kom op, dan gaan we naar boven,' zei ze terwijl ze wazig overeind kwam. 'Ik wil zien hoe het er daar uitziet.' Ze zou Sean wel eens wat laten zien.

'Mij best, kindje,' zei Alex. Kindje. Wat vond hij zichzelf toch relaxed. Mads mocht hem wel. Maar hij was geen Sean.

Dat heb ik toch niet hardop gezegd? dacht Mads opeens. Een blik op Alex' kalme, benevelde gezicht maakte haar duidelijk dat ze dat goddank niet had gedaan.

Alex volgde haar de trap op. 'Welke kamer is van Sean?' vroeg ze.

'Die daarginds.' Hij wees. 'Maar ik geloof niet dat hij wil dat we daar naar binnen gaan.'

'Ik wil alleen maar even zien hoe het eruitziet.' Mads opende de deur en gluurde naar binnen. De kamer was totaal anders dan ze zich had voorgesteld. Ze zag een modern stalen bed met een wollige beige sprei, een rood-met-blauw Perzisch tapijt en een leeg zwart bureau. Aan de muur hing een ingelijste reproductie van een schilderij van Kandinsky. Niet erg jongensachtig. Het enige waaraan je kon zien dat het Seans kamer was, was een boekenkast vol schoolboeken, sporttrofeeën en een paar ingelijste foto's. Nou moe.

'Zo te zien heeft zijn moeder hem voor hem ingericht,' zei Mads.

'Klopt. Ze is behoorlijk neurotisch over meubels en zo. Maar hij houdt ook veel meer van netjes dan je zou verwachten.'

'Interessant,' zei Mads. In de badkamer bleef ze staan. 'Ik moet plassen.'

'Ik wacht wel op je,' zei Alex.

Mads deed de deur op slot, plaste en inspecteerde toen het medicijnkastje. Sean gebruikte een bruine houten tandenborstel met natuurlijke haren. Dat zou ze nou nooit hebben gedacht. En hij schoor zich elektrisch. En hij gebruikte zalf tegen acne! Door de arts voorgeschreven! Ze las het etiket. 'Sean Herman Benedetto.' Zijn tweede voornaam was Herman?! Op de een of andere manier leek dat niet te kloppen. Ze haalde haar schouders op. Als ze er maar eenmaal aan gewend was, zou Herman haar op-een-na-liefste jongensnaam worden, na Sean, dat wist ze zeker.

Alex klopte op de deur. 'Ukkie? Alles in orde?'

Ze deed open. 'Ja hoor. Wat nu?' Ze liep de gang door naar de grootste kamer, een mooie slaapkamer met een zithoek en een open haard. Dat moest de kamer van zijn ouders zijn.

'Wauw, dit is chic,' zei ze. Ze ging op het bed zitten. Seans moeders bed. De sprei was van blauwe zijde. Onder haar voeten lag een wit kleed met een zwart golfpatroon. Golvend, golvend...

Alex kwam naast haar zitten. Hij zoende haar op haar voorhoofd, toen op haar wang en toen op haar mond. 'Hé, ukkie...'

Mads leunde achterover tot ze op het bed lag. Ze moest wel. Ze was zo duizelig...

'Mooi zo,' mompelde Alex, die doorging met zoenen. Ze draaide haar gezicht weg. Nee! Ze moest lucht hebben! Hij mocht absoluut haar adem niet blokkeren.

'Wat is er?' vroeg hij.

'Ik ben duizelig,' zei Mads.

'Uh-oo.' Alex stond op. 'Je ziet ook wel een beetje wit. Hier, kom eens zitten.'

Hij hielp haar overeind te gaan zitten, maar dat maakte het niet beter. Het zat Alex helemaal niet lekker. Hij zag al waar het heen ging. En hij wilde niet in de buurt zijn als Sean op tilt sloeg.

'Je voelt je zo vast wel beter,' zei hij. 'Ik ga cola voor je halen, om je maag tot rust te laten komen. Ben zo terug.' Hij maakte dat hij beneden kwam.

Mads tuurde naar het golvende patroon op het kleed. Haar maag draaide mee. Hoeveel wodka had ze op? Waarom moest ze ook zoveel drinken? Waarom had ze bij het avondeten haar roerbakschotel niet opgegeten, zoals M.C. had gezegd? Urg, wat was ze misselijk...

'Hé, wat doe jij hier?' Sean stond in de deuropening. 'Dit is mijn moeders kamer. Daar mag niemand komen. Kom op, wegwezen.'

Mads leunde naar voren. Ze wilde opstaan. Ze wilde de kamer uit lopen, precies zoals hij zei. Maar zo ver kwam ze niet. Ze zakte op haar hurken en kotste het hele kleed onder.

'Geweldig. Echt geweldig,' mompelde Sean. Mads lag in elkaar gezakt op het kleed met kots in haar haar te kreunen. Sean hielp haar overeind. 'Daarom heb ik dus niet graag van die ukkies op mijn feesten.' Hij bracht haar naar de badkamer. 'Als je 'r nog wat uit wilt gooien, doe het dan hier, in de wc, en niet op mijn moeders vloerkleed.'

Hij deed de deur achter zich dicht. Mads kroop in de badkuip.

Ze was nog steeds duizelig. Haar hoofd bonkte en haar maag kolkte. Ze was bang dat ze weer zou moeten kotsen.

Ze had gewild dat Sean haar opmerkte. Nou, en of hij dat had gedaan. Nu alleen nog een manier zien te vinden om te zorgen dat hij het weer vergat.

20 Au, dat doet pijn

Aan: hollygolitely
Van: Elke dag je horoscoop

Dit is je horoscoop voor vandaag: Steenbok: Kijk uit voor adviezen uit vrouwenbladen. Soms verzinnen die schrijfsters maar wat. (Behalve de horoscopen dan, die zijn wetenschappelijk verantwoord.)

'Even iets uit de auto halen,' zei Rob. Holly en hij zaten op de trap naar de voordeur afwisselend bier te drinken en te zoenen. 'Zin om mee te lopen?'

'Best.' Holly stond op. Was het zover? Naar de auto lopen – en wat dan? 'Wat moet je halen?'

'Ik heb een joint in het handschoenenvak liggen,' vertrouwde hij haar toe. 'Misschien kunnen we vast een trekje nemen voor we hem mee naar binnen nemen om hem met de hele meute te delen.'

Ze liep met hem mee naar een grote zwarte Suburban. 'Mijn moeders SUV,' legde hij een beetje schaapachtig uit. Nou, hij was in ieder geval groot genoeg voor alles wat je er misschien in zou willen doen. Rob opende het portier voor haar en ze klom erin. Zelf ging hij op de bestuurdersplaats zitten en reikte voor haar langs naar het handschoenenvak om de joint te pakken. Hij stak hem aan met de aansteker die in de auto zat. 'Ook een trekje?'

'Nee, dank je.' Holly had wel eens hasj gerookt, maar ze vond het suffige gevoel dat ze ervan kreeg niet prettig. Wat er verder ook ging gebeuren, ze wilde zich niet suffig voelen. Ze wilde zich fijn voelen en het zich herinneren.

Hij nam een trek, leunde achterover en blies uit. Holly keek toe hoe de rook in de auto bleef hangen en ademde in. Misschien kon een klein beetje tweedehandsrook geen kwaad.

Rob doofde de joint en stopte hem in een luciferdoosje. Toen streelde hij Holly's haar. 'Je hebt zulk mooi haar,' zei hij lijzig, al een beetje stoned. 'Echt fantastisch.'

'Dank je.' Dat was blijkbaar een populaire opmerking onder jongens. Ze wachtte af wat er nu zou gebeuren. Hij sloot zijn ogen en kwam met zijn gezicht naar het hare. Zijn mond zat er een centimeter of wat naast toen hij die van haar zocht en botste tegen de onderkant van haar neus. Ze schoten in de lach en hij deed zijn ogen open.

'Nog eens proberen.' Nu slaagde hij erin haar lippen te vinden. Hij bleek dit keer een verrassend stijve zoener. Maar misschien kwam dat door de hasj. Werd je van wiet onhandig met zoenen? Dat zou iets kunnen zijn om op de website aandacht aan te besteden.

Misschien was het nu haar beurt om iets te doen. Ze dacht aan dat artikel in de *Cosmo*. Wat hadden ze ook weer voorgesteld? Iets over chocolade of slagroom... Daar kon ze op dit moment niet veel mee. Wat nog meer? 'Door op zijn lippen te knabbelen kon je een jongen gek maken.' Daarom begon ze hem wat vuriger te zoenen, en hij ontspande zich wat. Toen zette ze voorzichtig haar tanden in zijn onderlip. Hij giechelde alsof hij werd gekieteld.

'Dat is lekker,' mompelde hij. Het werkte! Ze knabbelde nog wat. 'Mmmm,' zei hij. 'Nick had gelijk.'

Wát? Nick? Waarover had hij gelijk? Ze schrok op, midden onder het knabbelen, en beet iets te hard.

'Au!' krijste Rob. Zijn hand vloog naar zijn lip, die bloedde. 'Waar sloeg dat nou opeens op?'

'Waar heb je het over?' wilde Holly weten. 'Wat heeft Nick gezegd?'

'Niks! Hij zei alleen maar dat jij ontzettend hot was, meer niet.'
'Hoezo hot?'

Een beetje angstig keek Rob haar aan. 'Ben je nou helemaal

belazerd? Je hebt mijn lip er bijna afgebeten!'

'Hoezo hot?'

'Nou, je weet wel, als je met een jongen bezig bent en zo.'

'Hoe zou Nick weten hoe ik ben als ik met een jongen bezig ben?'

'Nou, heb je dan niet... ik bedoel, hij zei...'

'Híj zei!' Holly kon haar oren niet geloven. Dus Nick was degene die al die geruchten over hen beiden op dat feestje met Kerstmis had verspreid? Die geruchten die voor de volle honderd procent gelogen waren? En Rob geloofde ze?

En hoe zat het met Jake? Geloofde Rob hem ook?

Wilde Rob daarom bij haar zijn? Vanwege haar reputatie? Omdat Nick had gezegd dat zij overal voor in was – en omdat alle anderen dat ook zeiden?

'Hebben jullie het vaak over mij?' vroeg Holly. 'Wat heeft hij nog meer verteld?'

Rob keek nerveus. 'Nou, eh, niks...'

Hij hield zijn mond omdat hij bang was. En daar had hij alle reden toe. Holly was razend.

'Zal ik je eens wat zeggen? Je kunt beter niet naar je vriend Nick luisteren. Hij liegt. En Jake ook. Misschien liegen jullie allemaal wel!'

Ze sprong de auto uit en rende naar het feest terug. Bij de voordeur bleef ze even staan en haalde diep adem. Niet huilen. Niet op het feest. Niet voor ze veilig in haar auto zat.

Ze had gedacht dat hij echt om haar gaf. Maar nu wist ze het niet meer.

Het leek of hij haar vóór Mariska's feestje nooit had opgemerkt – het feestje waarop Jake had verteld dat ze met hém ook heel ver was gegaan.

Misschien was dat het enige waar hij opuit was. Misschien gebruikte hij haar! Stel je voor dat ze daarnet in de auto met hem was blijven zoenen en meer? Zou hij dan ooit nog iets van zich hebben laten horen?

21 Een avond om gauw te vergeten

Aan: linaonme
Van: Elke dag je horoscoop

Dit is je horoscoop voor vandaag: Kreeft: Je bent een bijzonder gevoelig mens. Dat kan later nog van pas komen, als je in je therapie-
groep over deze dag vertelt.

'Wat was dat maf, man,' zei Mo tegen Barton. Lina en Ramona zaten
op de veranda naar de hasjrokers te kijken. 'Ik dacht dat ik mijn sleutels kwijt was, en al die tijd – hè hè – zaten ze gewoon in mijn zak!'

Mo en Barton kwamen niet meer bij. 'Ga weg!' zei Barton. 'Zaten
ze in je zak?' Hij was zo hard aan het lachen dat hij haast niet uit
zijn woorden kwam.

'Stom idee dus… Saaiere mensen dan blowers zijn vast niet te
vinden,' zei Ramona. Ze zette haar lege bierflesje neer. 'Ik heb
genoeg. Ik denk dat ik maar eens opstap.'

Tot haar verbazing wilde Lina eigenlijk niet dat Ramona wegging.
Nog niet. Wat moest zij doen als Ramona er niet meer was?

'Heb je zin om mee te gaan?' vroeg Ramona. 'Het is hiernaast.
Ik zou je het Museum kunnen laten zien.'

O. Het Museum van Dan. Lina kromp in elkaar. 'Nee, doe maar
niet,' zei ze. 'Een andere keer misschien.' Met Ramona optrekken
op een feestje waar ze vrijwel niemand kende was tot daaraan toe,
maar Ramona's verzameling door Dan weggegooide spullen bekijken, daar moest ze niet aan denken. Dat ging haar te ver.

'Je doet maar,' zei Ramona. 'Veel plezier met de Normalen.' Ze
lachte smalend, liep de trap af en verdween in het donker. Lina
zag haar schaduw over de verlichte veranda van het huis ernaast
glijden. Dus Ramona had een thuis. En ouders. En een gezicht

onder al die make-up. Lina wilde nog steeds geen vriendin met haar zijn. Maar op de een of andere manier, of ze wilde of niet, kreeg ze het gevoel dat dat toch wel eens zou kunnen gebeuren.

'Daar ben je.' Lina vond Mads in een badkamer op de bovenverdieping, waar ze in een badkuip lag. 'Ik heb je overal gezocht. Wat is er gebeurd?'

Mads drukte haar wang tegen het koele witte bad en kwam langzaam tot bezinning. 'Ik schaam me dood, Lina,' zei ze snikkend.

'Nee, hè,' zei Lina. 'Was dat jouw kots die Sean aan het opruimen was?'

'Ja. Ik schaam me kapot.' Ze stak een arm naar Lina uit. 'Help me eens overeind zitten.'

Sean keek om de hoek van de deur. 'Hé, ukkie. Gaat het een beetje?' Hij knikte naar Lina. 'Alles goed hierbinnen?'

'Ik geloof van wel,' zei Lina.

Hij gooide Mads een grote witte handdoek toe. 'Hier. Voor als je je soms een beetje wilt wassen of zo.' Toen verdween hij, zodat Lina en Mads alleen achterbleven.

Lina pakte Mads bij haar hand en hielp haar het bad uit. 'God, waarom moest Sean me nou zo zien?' kreunde Mads. Haar kleren waren verkreukeld, en haar haar was plakkerig en stonk naar wodka en kots. 'Ik wou zijn aandacht trekken, maar niet zó. Dat spreekt vanzelf.'

'Het komt wel goed,' zei Lina. 'Kom op, je voelt je vast beter als je je een beetje gewassen hebt.'

Ze hielp Mads haar gezicht te wassen en haar mond en de plakkerige slierten haar uit te spoelen. Mads sloeg een slappe arm om Lina's rug en liet haar hoofd op Lina's schouder zakken. Ze woog loodzwaar.

'Waar is Holly?' vroeg ze. 'Ik wil naar huis.'

'Die is een poosje geleden met Rob verdwenen,' zei Lina. 'Kom mee, dan gaan we haar zoeken.'

Beneden vloog Holly van de ene kamer naar de andere, op zoek naar haar vriendinnen. Ze wilde hen niet in de steek laten, maar ze hield het geen minuut langer op dit feest uit. Ze was net op de trap gaan zitten toen ze haar vonden.

'Volgens mij kunnen we beter naar huis gaan, Holly,' zei Lina. 'Mads is niet lekker.'

Holly kwam overeind en hielp Lina Mads te ondersteunen. 'Wat is er aan de hand, Mads?'

'Te veel screwdrivers,' zei Lina. 'Kom op.'

Ze liepen het huis uit en wilden de trap af gaan toen Rob de voordeur uit kwam spurten en riep: 'Holly! Wacht!'

Holly begon de stenen treden af te rennen. Lina en Mads probeerden haar zo goed mogelijk bij te houden.

'Rob roept je, Holly,' zei Lina.

'Weet ik,' zei Holly. Ze keek niet om. Hij zou vast en zeker een dikke lip hebben. Iedereen zou vragen hoe hij daaraan kwam, of zijn eigen conclusies trekken. Ze wilde maken dat ze wegkwam voor er nog meer geruchten gingen rondzoemen.

Ze was bij de Volkswagen en startte voor Mads en Lina kans hadden om in te stappen. Mads viel op de achterbank neer en Lina kwam voorin zitten. 'Wat scheelt eraan, Holly?'

'Niks. Alleen maar een complete ramp.' Ze schakelde en ze reden in stilte de straat door. Lina kon zien dat Holly vreselijk overstuur was, maar ze durfde niet te veel aan te dringen. Maar na een minuut of wat begon Holly weer te praten. Ze vertelde Lina wat er in Robs auto was gebeurd. Mads zat in elkaar gezakt en met haar ogen dicht achterin te luisteren.

'Ik ging hem net echt leuk vinden,' zei Holly. 'Hij leek zo aardig! Maar hij is net zo erg als Jake of welke jongen dan ook. Hij denkt dat ik een slet ben! Daarom wilde hij met me uit. Hij had van Nick gehoord dat ik ik-weet-niet-wat-allemaal doe! En waar ik echt niet goed van word, is dat het allemaal verzonnen is.'

'Ik snap het niet,' zei Mads. 'Iedereen vindt je sexy. Je bént sexy. Wat is daar mis mee?'

'Jij bent degene die het altijd heeft over proberen ouder te lijken en hoe cool het is om sexy te zijn, Mads,' zei Holly. 'Jij met die stomme tips van je. Ik probeerde op Robs lippen te knabbelen en toen raakte ik zo overstuur dat ik hem gebeten heb! God, toch niet te geloven dat ik dat heb gedaan.'

'Ik kan er toch niks aan doen dat jij hem te hard hebt gebeten,' zei Mads.

'Dit hele gedoe is jouw schuld!' riep Holly. 'Jij bent degene die "Boezembabe Holly" bij die eerste quiz heeft ingevuld. Daarmee is het allemaal begonnen.' Haar knokkels werden wit om het stuur. Ze kon niet tegen het gevoel dat alles volkomen uit de hand was gelopen.

Mads begon te huilen. Ze had Holly nog nooit zo kwaad gezien. Lina zei niets maar probeerde in gedachten alles op een rijtje te zetten. Holly leek altijd zo sterk, alsof ze zich nooit ergens iets van aantrok. Maar nu was het maar al te duidelijk dat al het gepest en alle praatjes haar echt pijn deden.

'Het was niet Mads' bedoeling dat ze over je gingen roddelen,' zei ze. 'Zij kon niet weten dat Autumn die quiz op haar blog zou zetten, en dat het allemaal zo uit de hand zou lopen. Mads was gewoon maar wat aan het dollen, en dat weet je best.'

Holly voelde zich rot. Ze wist wel dat Mads er niets aan kon doen, maar soms deed ze zulke stomme dingen... 'Weet ik wel. Sorry, Mads. Ik ben alleen zo... Ik kan het niet uitstaan! Ik vind het afschuwelijk zoals ze over me praten, zoals ze naar me kijken. Ik kan het niet uitstaan dat ik totaal geen invloed heb op hoe anderen me zien, wat ik ook doe, het enige wat ze ooit zien zijn mijn tieten! Als ik jou was zou ik maar blij zijn dat je nog zo klein bent, Mads. Dat is beter dan dat ze je als zo'n seksopblaaspop behandelen.'

'Mag ik wat Kleenex?' Mads stak haar hand over de leuning naar voren en Lina legde er een pluk tissues in. 'Bedankt.' Mads snoot haar neus.

'Ik wou je geen pijn doen, Holly. Ik dacht dat je het wel leuk vond als ik je plaagde.'

'Weet ik. Is ook zo. Min of meer.'

'Voortaan zal ik alleen maar tegen of over je praten alsof je een of andere bloedserieuze kernfysicus bent.'

'Het zit wel goed, Mads. Je mag me best plagen. Maar weet je, al dat gepraat over ervaring is zulke nep. Niemand op school heeft zoveel ervaring als hij beweert. Het zijn allemaal zulke eikels. Jake bijvoorbeeld. En je had Rob vanavond eens moeten zien. Mr. Cool. Jullie hond Boris zoent nog beter dan hij.'

'Maar Sean dan?' vroeg Mads. 'Die zei dat ik niet ervaren genoeg was! Ik denk nog steeds dat hij daarom niet met me uit wilde.'

'Nou, nu heeft hij een nog betere reden,' zei Lina.

Mads leunde weer naar achteren, ze was nog steeds een beetje dronken. Holly had gelijk. Dat zag zij nu eindelijk ook in. Iedereen deed of hij wist waar hij mee bezig was. Maar niemand wist echt iets. De helft van de antwoorden bij de Dating Game was verzonnen. Zelfs Alex… misschien wilde hij er daarom zo graag vandoor en een hamburger gaan halen, omdat hij bij haar niet goed wist wat er van hem verwacht werd. Bij háár! En Sean dan? Hoe ervaren was die?

Sean. O god, waarom moest ze nou net bij hem thuis overgeven?

'Weet je, hij kwam de badkamer in en vroeg of het een beetje ging met me,' zei ze. In haar herinnering werd dat moment iets intiems tussen hen beiden, ook al was Lina erbij geweest. 'Hij gaf me een handdoek en vroeg: "Gaat het een beetje?" Volgens mij blijkt daaruit dat hij om me geeft. Hij had me net zo goed aan mijn lot over kunnen laten.'

Holly bonkte met haar voorhoofd tegen de bovenkant van het

stuur. Dit was echt om medelijden mee te krijgen.

'Mocht je willen, Mads,' zei ze. 'Alleen omdat hij niet wilde dat je zijn moeders slaapkamer smerig maakte...' Ze gaf het op, het was hopeloos. Mads klampte zich aan haar droom over Sean vast zoals andere mensen in de lotto meespelen. Haar kansen waren minimaal, maar zolang er een piepklein kansje was kon ze niet opgeven.

'In elk geval zal hij me nu echt niet meer vergeten,' zei Mads.

'Nee, niet als hij die vlek in zijn moeders kleed steeds weer ziet,' zei Holly.

'Misschien kun je beter een poosje bij hem uit de buurt blijven,' stelde Lina voor. 'Zodat hij niet meer meteen aan overgeven hoeft te denken als hij jou ziet. Laat die herinnering maar een beetje weg-zakken.'

'Als dat ooit gebeurt,' zei Holly. 'Het is ontzettend moeilijk om die kotslucht ergens uit te krijgen.'

Mads klampte haar hoofd tussen haar handen. 'Hou eens op, hé! Jullie maken het er niks beter op!'

'Oké, Mads,' zei Holly. 'Op een dag, als Sean en jij getrouwd zijn en herinneringen ophalen aan jullie geschifte tienerjaren, dan lachen jullie hierom.'

'Ah.' Mads sloot haar ogen en liet het beeld bezinken. Het was hun vijftigjarig huwelijk en hun landhuis was vol kleinkinderen die hen kwamen opzoeken. Sean zat hun allemaal het grappige verhaal te vertellen over hoe hun oma het witte kleed met zwarte krullen van hun overgrootmoeder had geruïneerd. 'Dat klinkt veel beter.'

'Wat heb jij eigenlijk uitgevoerd, Lina, terwijl Mads en ik om de Oscar voor de meest dramatische hoofdrol vochten?' vroeg Holly.

'Ik heb Ramona gezien zonder haar make-up,' zei Lina.

'Was zij er ook?' vroeg Mads. 'Hoezo was zij uitgenodigd?'

'Ze woont ernaast.'

'Hoe zag ze eruit zonder al die troep?' vroeg Holly.

'Normaal,' zei Lina.

22 Vaarwel, Boezembabe

Aan: hollygolitely

Van: Elke dag je horoscoop

Dit is je horoscoop voor vandaag: Steenbok: Tuurlijk, de junkmailtjes vliegen je om de oren, maar je moet toch eens leren ze zorgvuldig door te nemen zodat je de goudkorrels niet misloopt. Iemand probeert je te bereiken, maar je blijft zijn mails maar voor spam aanzien.

    Aan: hollygolitely

    Van: flappie

      Re: alsjeblieft niet deleten!

Holly – Het spijt me ontzettend dat ik je zo overstuur heb gemaakt. Dat was echt niet de bedoeling, dat zweer ik! Ik wil je weer zien. Ik weet dat Nick een grote leugenaar is en het kan me niks schelen wat ze over je zeggen – ik vind je echt super. Ik heb tegen iedereen op het feest gezegd dat je me op mijn mond hebt gestompt toen ik je wilde zoenen. Ze vonden het allemaal maar preuts van je. Die weten ook niet wat ze van iemand vinden. Mijn lip is al bijna over en die kan me trouwens ook niet schelen. Ik wil alleen maar jou weer zien. Alsjeblieft? Kunnen we vrijdagmiddag na school afspreken voor koffie, en om te praten? Daarna misschien uit eten of naar de film, als je zin hebt? Zeg alsjeblieft ja!

Rob

'Ik heb het gescand op sarcasme en onoprechtheid,' zei Holly. Het was woensdag na school en ze zat met Lina en Mads in Vineland voor de tiende keer die week Robs mailtje te ontleden. 'Volgens mij is het schoon.'

'En wat doe je nou?' vroeg Mads.

'Ik weet niet. Ik vind het maar moeilijk om hem te vertrouwen na Jake.'

'Vind je hem aardig?' vroeg Lina.

Holly keek alsof ze met een naald werd geprikt. 'Ik geloof het wel. Jammer genoeg.'

'Nee, dat is juist goed,' zei Lina. 'Probeer dat in gedachten te houden.'

'De vraag is: vindt hij mij echt aardig?'

Lina grijnsde naar Mads en gaf Holly een vel papier. 'Je bent recht in onze val gelopen,' zei ze.

'Wat is dit?'

'Het is een quiz,' zei Mads. 'Die Lina en ik speciaal voor jou hebben geschreven.'

Vindt hij je echt aardig?
Voor Holly, door Lina en Mads

1 **Iemand verspreidt op een feestje gemene praatjes over je.**
   Jij loopt de kamer uit. De jongen waar jij een oogje op hebt:
   A   doet niets
   B   draagt zijn steentje bij aan de praatjes
   C   komt je achterna om te zien of alles in orde is met je

2 **Je ziet hem met vrienden in de schoolbibliotheek zitten. Hij:**
   A   doet of hij je niet ziet
   B   knikt je zo'n beetje halverig toe
   C   lacht naar je en zwaait

3 Er is binnenkort een schoolfeest. Hij:

    A   vraagt een ander meisje mee

    B   vraagt jou niet maar gaat ervan uit dat hij je daar wel zal zien

    C   vraagt jou mee

4 Op het bal is een eikel die jou in verlegenheid probeert te brengen. Jouw date:

    A   laat jou aan je lot over

    B   doet alsof er niks is gebeurd

    C   helpt je en gaat na afloop ergens een milkshake met je drinken

5 Als jullie in zijn auto zitten te zoenen bijt je per ongeluk in zijn lip. Hij:

    A   wil nooit meer met je praten

    B   vertelt iedereen op het feest wat een gestoorde bitch jij bent

    C   rent je achterna, wil niet dat je weggaat en stuurt je meteen mailtjes waarin hij je smeekt weer met hem om te gaan

Score:

Als je deze vragen met C hebt beantwoord (en dat is je geraden!), dan is de situatie duidelijk: Rob geeft echt om je!

Holly lachte. 'Bedankt, jongens. Wat raar om je leven in de vorm van een quiz te zien. Maar wel onthullend.'

'Wij vinden gewoon dat je niet bang moet zijn,' zei Mads.

'Oké,' zei Holly. 'Ik riskeer het met Rob. Dat is dus geregeld. Nog meer waar we het over moeten hebben?'

'Ik heb post van Sean gekregen!' Mads zwaaide alweer met een vel papier. Lina griste het uit haar hand.

'Dit is een rekening van een tapijtreinigingsspecialist,' zei ze. 'Vijfenzeventig dollar.'

'Weet ik.' Mads pakte hem terug en stopte hem zorgvuldig terug in de envelop. 'Die ga ik heel zuinig bewaren.'

'Ga je hem betalen?' vroeg Holly.

'Nee,' zei Mads. 'Als ik hem betaalde, zou ik dit naar dat bedrijf terug moeten sturen. En ik wil hem houden.'

'Daar zal Sean wel blij mee zijn,' zei Holly. 'Voor ik het vergeet, kunnen jullie morgen naar mij toe komen om aan ons IMO-werkstuk te werken?' Die vrijdag moest hun eindverslag worden ingeleverd. Het was Mads' taak alle data te verzamelen, Holly zou ze analyseren en Lina zou de resultaten op schrift zetten.

'Prima,' zei Lina.

'Ik heb het grootste deel van de info al in kaart gebracht,' zei Mads. 'En ik hoop dat Dan ertegen kan de smerige onderbuik van RSAOB eens goed te bekijken.'

'Toch zal ik het wel missen die vragenlijsten te lezen, ook al waren ze een en al leugens,' zei Holly. 'Ik vind dat we de blog moeten houden. Maakt niet uit dat het project afgelopen is, we kunnen best doorgaan met de datingservice.'

'En we kunnen ook quizzen blijven maken om achter de diepe duistere geheimen van onze klasgenoten te komen,' zei Mads. 'Dat vind ik het leukste ervan.'

'Ja, daar moeten we echt mee doorgaan,' zei Lina.

'Goed,' zei Holly. 'Nog meer nieuws?'

'Het nieuwste nummer van de *Vuurvlieg* is net uit.' Lina wierp een dun boekwerkje op tafel. Het was op glanspapier geprint, en op de cover stond een vlinder die op een bloederige liniaal zat die, zag Lina, tegelijkertijd een scheermes was. 'Zie bladzijde dertien.'

Holly zocht hem op en las voor: '"Verloren zaak" door Ramona Fernandez:

Verliefd leed ik alleen
Dacht ik
Tot ik jou vond
Mede-lijder en
Vriendin.
We bevechten elk onze eigen windmolen, alleen,
Maar het weten dat jij op jouw slagveld
Diezelfde strijd strijdt,
Geeft mij kracht.

Ik snap het niet,' besloot Holly.

'Het gaat over mij,' zei Lina. 'Zij is weg van Dan. Ik ben weg van Dan. Ik denk dat ze zich aangemoedigd voelt doordat ze weet dat ik ook weg van hem ben. Of zoiets.'

'Is dat positief?' vroeg Mads. 'Ik bedoel, jullie kunnen hem toch niet alle twee krijgen? Hooguit een van beiden. Als je geluk hebt.'

'Dat weet ik niet,' zei Lina. Ze werd echt een beetje in verwarring gebracht door het gedicht. Het leek een uitdaging en een vriendschappelijk gebaar tegelijk.

'Ramona is geschift,' zei Holly. 'Nog een geluk dat geen mens de *Vuurvlieg* leest, dus we hoeven ons er ook niet druk over te maken wat het betekent.'

'Dat dacht ik ook,' zei Lina.

'Waarom vergeet je Dan niet gewoon, Lina?' vroeg Mads. 'Walker is echt gek op je, en hij is een schatje.'

'Je kunt hem toch wel een kans geven,' zei Holly. 'Ik bedoel, wat heeft het voor nut om zo naar Dan te smachten? Je mag best een oogje op hem hebben en zo, maar je moet wel reëel blijven.'

'Weet ik,' zei Lina. 'Jullie hebben gelijk. Het is onrealistisch en pure tijdverspilling.'

En eigenlijk wist Lina ook best dat dat zo was. Maar dat kon haar niet schelen. Ze ging elke dag meer van Dan houden. Ze dacht de hele tijd aan hem. Aan het geheim dat ze samen hadden. Dat geheim zou ze bewaren, ze zou het zelfs niet aan haar beste vriendinnen vertellen.

Maar van dat geheim alleen kon ze niet leven. Ze moest hem zien, hem zoenen, een minuutje met hem alleen hebben, hem horen zeggen wat hij nu echt voelde.

En die kans zou ze krijgen. Omdat Dan ook een geheim had, en Lina kende dat geheim.

Ze had het de vorige avond pas ontdekt. Toen ze op het net zat te surfen op zoek naar ideeën voor de Dating Game, was ze een profiel tegengekomen van iemand die contact zocht. Een man van vierentwintig, die zich 'beauregard' noemde, leraar op een high school, op zoek naar liefde. En rechtsboven in beeld: Dans foto.

'Jullie hebben gelijk,' zei ze weer. 'Ik moet hem maar vergeten. Dat zal ik doen.'

Maar dat kon ze niet. En dat wist ze ook.

'Nou, hoe ziet het eruit?' vroeg Rob. Hij stak zijn onderlip uit. 'Helemaal genezen?'

Het was laat op de vrijdagmiddag, en hij zat met Holly op een bank aan het water. Holly bekeek zijn lip. Niets meer te zien. Het was een leuke, volle lip. 'Ziet er prima uit. Om op te eten.' Ze knarste met haar tanden.

Zogenaamd geschrokken deinsde hij achteruit.

'Wees maar niet bang,' zei ze. 'Ik ben op een lipvrij dieet.'

'Gelukkig. Want mijn arme lip heeft een herstelperiode achter de rug, en nou heeft hij wat training nodig om weer op volle kracht te komen.'

Holly leunde naar hem toe. 'Eens even testen.'

Ze zoenden. Waarom had ze ooit beweerd dat Mads' hond Boris beter zoende? Daar klopte niets van. In de verste verte niet.

Ze lieten elkaar los en Holly legde haar hoofd op Robs schouder.

Ze voelde zich warm en tevreden. Ze kreeg opeens zin om haar vingers door zijn dikke, bot afgeknipte bruine haar te halen. Het mooie haar van haar nieuwe vriend. Nu snapte ze waarom jongens altijd tegen meisjes zeiden dat ze zulk mooi haar hadden. Als je verliefd op iemand was, wilde je zijn haar aanraken. Of misschien wisten jongens gewoon niks beters om over te praten. Ja, dat zou het wel zijn.

'Heb je dit weekend iets te doen?' vroeg hij.

'Nee,' zei Holly.

'Nu wel.'

Vak: *Interpersoonlijke Menselijke Ontwikkeling.*

De Dating Game: *Wie zijn meer met seks bezig, jongens of meisjes?*

Eindverslag
door Holly Anderson, Madison Markowitz en Lina Ozu

Nadat we de leerlingen van RSAOB verschillende tests, quizzen en enquêtes hadden voorgelegd, konden we niet onder de conclusie uit dat onze beginhypothese niet klopte. We namen aan dat jongens meer met seks bezig waren dan meisjes, maar de resultaten geven aan dat meisjes minstens zoveel belangstelling voor seks hebben als jongens. Bij elke enquête en elke quiz lagen de uitslagen in de buurt van 50/50.

Op grond van ons veldonderzoek moeten we zelfs concluderen dat meisjes zich drukker om seks maken dan jongens. Ze praten er meer over. Ze lezen er meer over. Ze denken er meer over na. Ja, dit is anekdotisch bewijs. Wij zijn meisjes, wij krijgen niet te horen waar jongens over praten als ze onder elkaar zijn. En onze wetenschappelijke techniek is ook niet helemaal waterdicht. Het enige wat wij kunnen zeggen is: wij weten wat we weten.

Als je erop staat kunnen we een verslag schrijven over het veld-
onderzoek dat we hebben gedaan. Maar met het oog op je geestelijk
welzijn raden we je dringend aan daar niet op aan te dringen. Geloof
ons maar op ons woord. We zouden nooit liegen.

Conclusie: *meisjes zijn meer met seks bezig dan jongens.*

'Uitstekend werk, meiden,' zei Dan nadat Lina hun verslag in de klas had voorgelezen. Mads en Holly verzamelden de tabellen en grafieken die ze hadden gemaakt en gingen weer op hun plaats zitten.

'Volgens mij hebben we het hartstikke goed gedaan,' fluisterde Holly.

'Volgens mij ook,' zei Lina.

'Heeft er nog iemand vragen of opmerkingen over dit project?' vroeg Dan aan de klas.

Karl Levine stak zijn hand op. 'Ja, ik. Als meisjes zoveel met seks bezig zijn, waarom krijg ik er dan nooit eentje zo gek dat ze het met me doet?'

Iedereen schoot in de lach. Mads rolde met haar ogen. Die stomme Karl. Ze bladerde in haar schrift tot ze bij een leeg blad kwam en ging zomaar wat zitten tekenen.

'Je luistervaardigheid is nog niet wat hij zou moeten zijn, Karl,' zei Dan. 'Maar nu je toch je vinger hebt opgestoken, kun jij ons nu jouw eindverslag voorlezen?'

Karl liep naar voren en begon zijn meesterwerk voor te lezen: 'Lara Croft versus Xena – Wie is het hotst?'

Mads hield zich doof en begon te schrijven.

Holly Driscoll Anderson en Robert? Safran

Er was sinds het begin van het semester veel veranderd. Holly had een nieuwe vriend. En de enige die haar nog de Boezembabe noemde was Mads. En dat vond Holly eigenlijk niet erg. Het was bijna lente, en de wereld zag er mooi uit.

Lina Alice Ozu en Walker? Moore

Misschien was Lina nog niet echt gek op hem, maar hij beslist wel op haar. Mads hoopte dat Lina bij zou draaien. En ze weigerde Lina's naam naast die van Daniel Dufkop Shulman te zetten.

Madison Emily Markowitz en Sean Herman Benedetto

Nog maar een paar weken geleden wist Sean niet eens dat ze bestond. Nu wist ze zelfs zijn tweede voornaam! Oké, er was nog niet echt iets tussen hen gebeurd – maar ze begon in de buurt te komen. Dat voelde ze gewoon.

Ik, Madison Emily Markowitz, beloof hierbij plechtig dat Sean Herman Benedetto aan het eind van het schooljaar van mij is.

To be continued…

Lees ook De Clique

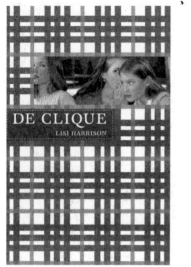 

De bestseller-serie van MTV-producer Lisi Harrison

De Clique, een clubje superrijke meiden op een Amerikaanse privé-school in de buurt van New York. Als je niet bij De Clique hoort ben je niets. Tenminste, in de ogen van Alicia, Dylan, Kristen en aanvoerder Massie.

Als de vader van Massie een oude vriend onderdak biedt, blijkt dat zijn dochter Claire totaal het tegenovergestelde is van Massie. Claire heeft alles wat de meiden van De Clique niet hebben: foute schoenen, fout haar en foute vrienden. Erger nog; eigenlijk heeft ze helemaal geen vrienden! Claire doet erg haar best om bij de groep te komen. Maar of dat gaat lukken...

De Clique... Je komt er bijna niet in. En ligt er zo weer uit.

Lees ook Vermist

Van bestsellerauteur Meg Cabot, bekend van Dagboek van een Prinses.

Jessica Mastriani zit eigenlijk altijd in de moeilijkheden. Terwijl andere meiden leuke dingen doen, is zij tussen de lessen door vooral bezig met het in elkaar slaan van de sportbinken van de school. Verder moet ze nablijven, veel nablijven. Het toeval wil dat zij dan naast Rob zit, de lekkerste hunk uit de bovenbouw.

Als Jess zich door haar beste vriendin laat overhalen om naar huis te lopen, kan ze niet weten dat een onweersbui haar leven voorgoed zal veranderen. Ze wordt getroffen door de bliksem. Ze overleeft het, als door een wonder. Maar dan ontdekt ze een kracht die in haar is ontketend. Een kracht waarmee ze goed kan doen... en kwaad.